힘이 붙는 수학

연산

초등 **1A**

단계별 학습 내용

1 초1 수준

A	B
🎯1단계 9까지의 수	🎯1단계 100까지의 수
🎯2단계 9까지의 수를 모으기, 가르기	🎯2단계 덧셈과 뺄셈(1)
🎯3단계 덧셈과 뺄셈	🎯3단계 덧셈과 뺄셈(2)
🎯4단계 50까지의 수	🎯4단계 덧셈과 뺄셈(3)

2 초2 수준

A	B
🎯1단계 세 자리 수	🎯1단계 네 자리 수
🎯2단계 덧셈과 뺄셈	🎯2단계 곱셈구구
🎯3단계 덧셈과 뺄셈의 관계	🎯3단계 길이의 계산
🎯4단계 세 수의 덧셈과 뺄셈	🎯4단계 시각과 시간
🎯5단계 곱셈	

3 초3 수준

A	B
🎯1단계 덧셈과 뺄셈	🎯1단계 곱셈
🎯2단계 나눗셈	🎯2단계 나눗셈
🎯3단계 곱셈	🎯3단계 분수
🎯4단계 길이와 시간	🎯4단계 들이
🎯5단계 분수와 소수	🎯5단계 무게

🐙 전체 학습 설계도를 보고 초등 수학의 과정을 알 수 있습니다.

4 초4 수준

A	B
1단계 큰 수	1단계 분수의 덧셈
2단계 각도	2단계 분수의 뺄셈
3단계 곱셈	3단계 소수
4단계 나눗셈	4단계 소수의 덧셈
	5단계 소수의 뺄셈

5 초5 수준

A	B
1단계 자연수의 혼합 계산	1단계 수의 범위
2단계 약수와 배수	2단계 어림하기
3단계 약분과 통분	3단계 분수의 곱셈
4단계 분수의 덧셈과 뺄셈	4단계 소수의 곱셈
5단계 다각형의 둘레와 넓이	5단계 평균

6 초6 수준

A	B
1단계 분수의 나눗셈	1단계 분수의 나눗셈
2단계 소수의 나눗셈	2단계 소수의 나눗셈
3단계 비와 비율	3단계 비례식
4단계 직육면체의 부피와 겉넓이	4단계 비례배분
	5단계 원의 넓이

이렇게 공부해 봐

1 개념 정리

개념 정리 내용을 확인하며 계산 원리를 충분히 이해 해요.

2 연산 학습

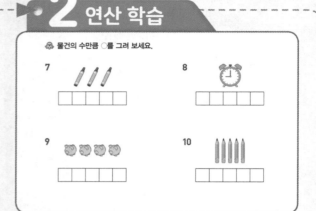

다양한 유형의 연산 문제를 통해 연산력을 강화해요. 매일 연산 학습을 반복하면 더 효과적으로 학습할 수 있어요.

3 생활 속 연산

쓰기	읽기		쓰기	읽기

생활 속 연산

은솔이는 학교에서 입학 선물로 학용품 세트를 받았습니다. 학용품 세트에 있는 학용품의 수를 세어 쓰세요.

□ ( ), ✏ ( ), ● ( )

다양한 실생활 속 상황에서 연산력을 키워 문제를 해결해요.

4 마무리 연산

연산 학습을 잘했는지 문제를 풀어 보며 확인해요.

Contents 차례

1

9까지의 수

꾸준하게 풀면 어느새
연산 실력이 엄청
향상되어 있을 거야

학습 결과와 시간을 써 보세요!

학습 내용	학습 회차	맞힌 개수/걸린 시간
1. 5까지의 수	DAY 01	/
	DAY 02	/
	DAY 03	/
	DAY 04	/
2. 9까지의 수, 0	DAY 05	/
	DAY 06	/
	DAY 07	/
	DAY 08	/
3. 9까지의 수의 순서	DAY 09	/
	DAY 10	/
	DAY 11	/
	DAY 12	/
4. 1만큼 더 큰 수와 1만큼 더 작은 수	DAY 13	/
	DAY 14	/
	DAY 15	/
	DAY 16	/
5. 9까지의 수의 크기 비교	DAY 17	/
	DAY 18	/
	DAY 19	/
	DAY 20	/
마무리 연산	DAY 21	/
	DAY 22	/

기초력 상승!

하나 둘! 하나 둘!

◎ 1단계 9까지의 수

1. 5까지의 수

● 5까지의 수 쓰고 읽기

	꽃 1송이	꽃 2송이	꽃 3송이	꽃 4송이	꽃 5송이
	●	●●	●●●	●●●●	●●●●●
쓰기	1	2	3	4	5
읽기	하나, 일	둘, 이	셋, 삼	넷, 사	다섯, 오

🐙 색 구슬의 수만큼 ○를 색칠하세요.

1

2

3

4
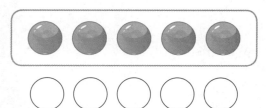

5
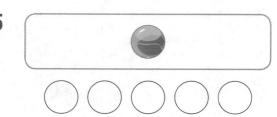

6
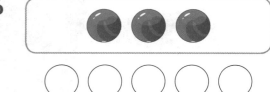

🐙 물건의 수만큼 ○를 그려 보세요.

7
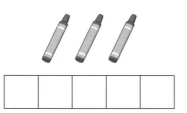

8
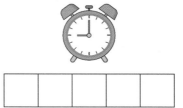

9

10
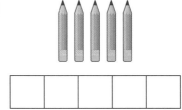

11
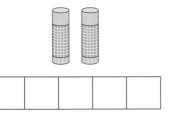

12
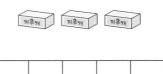

13
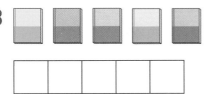

14

15
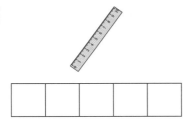

16

1. 5까지의 수

🐙 주머니 안에 있는 구슬의 수를 세어 ○표 하세요.

1

| 1 | 2 | 3 | 4 | 5 |

2

| 1 | 2 | 3 | 4 | 5 |

3

| 1 | 2 | 3 | 4 | 5 |

4

| 1 | 2 | 3 | 4 | 5 |

5

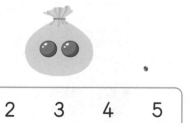

| 1 | 2 | 3 | 4 | 5 |

6

| 1 | 2 | 3 | 4 | 5 |

7

| 1 | 2 | 3 | 4 | 5 |

8

| 1 | 2 | 3 | 4 | 5 |

🐙 수를 세어 ☐ 안에 알맞은 수를 써넣으세요.

9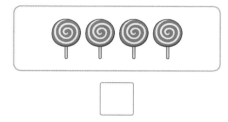
☐

10
☐

11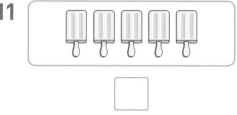
☐

12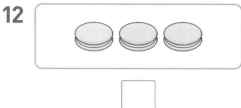
☐

13
☐

14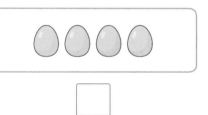
☐

15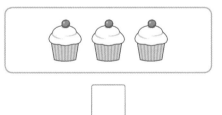
☐

16
☐

17
☐

18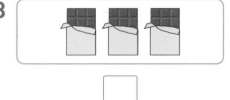
☐

🎯 1단계 9까지의 수

1. 5까지의 수

🐙 주어진 수만큼 색칠하세요.

1 | 3 | ☆ ☆ ☆ ☆ ☆

2 | 2 | ☆ ☆ ☆ ☆ ☆

3 | 5 | ◇ ◇ ◇ ◇ ◇

4 | 1 | ◇ ◇ ◇ ◇ ◇

5 | 3 | ♡ ♡ ♡ ♡ ♡

6 | 4 | ♡ ♡ ♡ ♡ ♡

7 | 2 | ○ ○ ○ ○ ○

8 | 5 | ○ ○ ○ ○ ○

9 | 1 | △ △ △ △ △

10 | 4 | △ △ △ △ △

11 | 3 | ＞ ＞ ＞ ＞ ＞

12 | 5 | ＞ ＞ ＞ ＞ ＞

🐙 **주어진 수만큼 묶어 보세요.**

13

4

14

1

15

3

16

5

17

2

18

4

19

1

20

3

21

5

22

2

🎯 1단계 9까지의 수

1. 5까지의 수

🐙 수로 쓰거나 읽어 보세요.

1 셋 ➜ ☐

2 사 ➜ ☐

3 다섯 ➜ ☐

4 둘 ➜ ☐

5 일 ➜ ☐

6 삼 ➜ ☐

7 오 ➜ ☐

8 이 ➜ ☐

9 4 ➜ ☐ , ☐

10 l ➜ ☐ , ☐

11 5 ➜ ☐ , ☐

12 2 ➜ ☐ , ☐

🐙 수를 세어 쓰고, 두 가지 방법으로 읽어 보세요.

13

쓰기	읽기

14

쓰기	읽기

15

쓰기	읽기

16

쓰기	읽기

17

쓰기	읽기

18

쓰기	읽기

💡 **생활 속 연산**

은솔이는 학교에서 입학 선물로 학용품 세트를 받았습니다. 학용품 세트에 있는 학용품의 수를 세어 쓰세요.

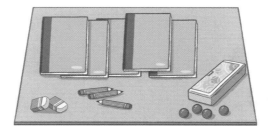

 (   ),   (   ),   (   )

2. 9까지의 수, 0

● 9까지의 수, 0 쓰고 읽기

	꽃 6송이	꽃 7송이	꽃 8송이	꽃 9송이	꽃 0송이
쓰기	①6	①↓7②	8①	9①	①0
읽기	여섯, 육	일곱, 칠	여덟, 팔	아홉, 구	영

🐙 색 구슬의 수만큼 ◯를 색칠하세요.

1
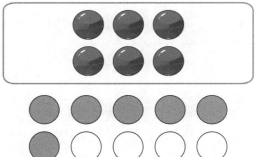

2
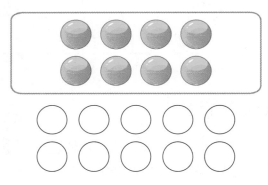

3
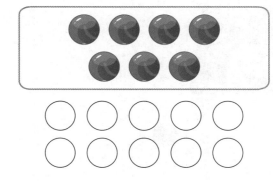

4
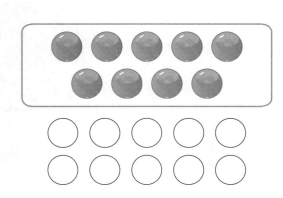

🐙 단추의 수만큼 ○를 그려 보세요.

5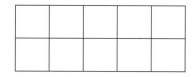

6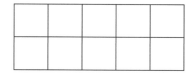

7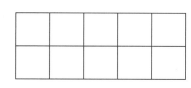

8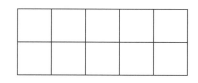

9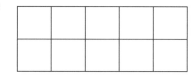

10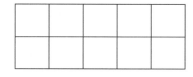

11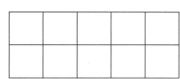

12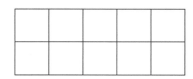

13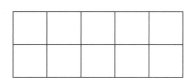

14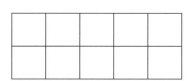

🎯 1단계 9까지의 수

2. 9까지의 수, 0

🐙 병 안에 있는 사탕의 수를 세어 ○표 하세요.

1

| 6 | 7 | 8 | 9 | 0 |

2

| 6 | 7 | 8 | 9 | 0 |

3

| 6 | 7 | 8 | 9 | 0 |

4

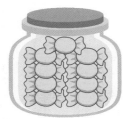

| 6 | 7 | 8 | 9 | 0 |

5

| 6 | 7 | 8 | 9 | 0 |

6

| 6 | 7 | 8 | 9 | 0 |

7

| 6 | 7 | 8 | 9 | 0 |

8

| 6 | 7 | 8 | 9 | 0 |

🐙 물고기의 수를 세어 ☐ 안에 알맞은 수를 써넣으세요.

9  ☐

10  ☐

11  ☐

12  ☐

13  ☐

14  ☐

15  ☐

16  ☐

17  ☐

18  ☐

🎯1단계 9까지의 수

2. 9까지의 수, 0

🐙 주어진 수만큼 색칠하세요.

1
8
☆ ☆ ☆ ☆ ☆
☆ ☆ ☆ ☆ ☆

2
0

3
9
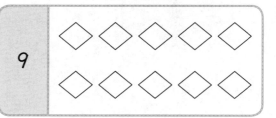

4
6
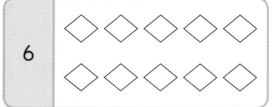

5
7

6
8

7
9
○ ○ ○ ○ ○
○ ○ ○ ○ ○

8
6

9
0
△ △ △ △ △
△ △ △ △ △

10
7
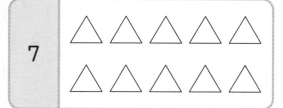

🐙 주어진 수만큼 묶어 보세요.

11 7

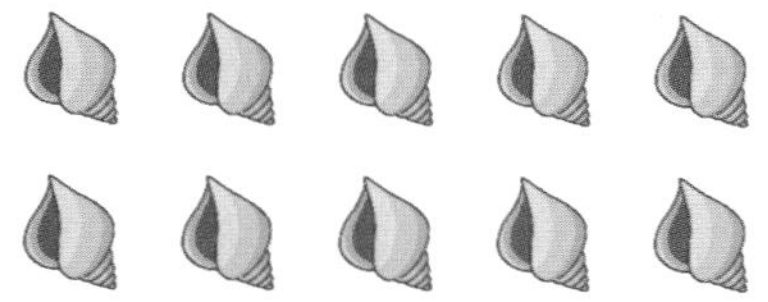

12 9

13 0

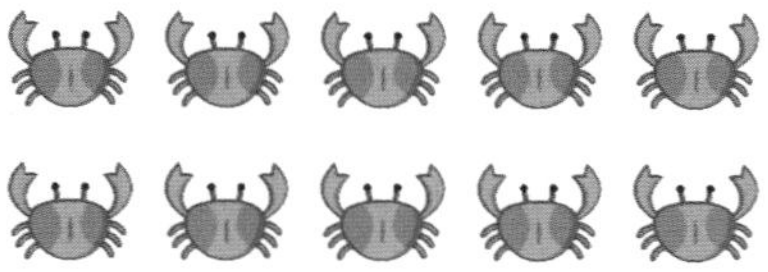

14 8

15 6

16 7

17 8

18 0

19 6

20 9

2. 9까지의 수, 0

🐙 수로 쓰거나 읽어 보세요.

1 구 → ⬜

2 8 → ⬜ , ⬜

3 여섯 → ⬜

4 9 → ⬜ , ⬜

5 여덟 → ⬜

6 6 → ⬜ , ⬜

7 팔 → ⬜

8 7 → ⬜ , ⬜

9 영 → ⬜

10 5 → ⬜ , ⬜

11 아홉 → ⬜

12 0 → ⬜

🐙 케이크에 꽂혀 있는 초의 수를 세어 쓰고, 읽어 보세요.

13

쓰기	읽기

14

쓰기	읽기

15
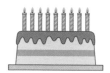

쓰기	읽기

16

쓰기	읽기

17

쓰기	읽기

18
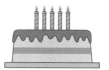

쓰기	읽기

 생활 속 연산

재희는 사탕 한 봉지에 들어 있는 사탕의 수를 맛별로 세어 보려고 합니다. 각 맛별로 사탕의 수를 세어 쓰세요.

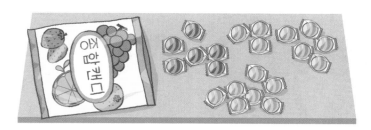

 (   ),   (   ),   (   )

DAY 09

🎯1단계 9까지의 수

3. 9까지의 수의 순서

● l 부터 9까지의 수를 순서대로 쓰기

오른쪽으로 갈수록 l씩 커지고
왼쪽으로 갈수록 l씩 작아져.

→ l 씩 커져.   ← l 씩 작아져.

🐙 순서에 알맞게 수를 써넣으세요.

1 l — 2 — 3 — 4 — 5

2 3 — 4 — ◯ — 6 — ◯

3 5 — ◯ — ◯ — 8 — 9

4 2 — ◯ — 4 — ◯ — 6

5 4 — 5 — ◯ — 7 — ◯

6 3 — 4 — ◯ — ◯ — 7

7 ◯ — 6 — 7 — 8 — ◯

8 4 — ◯ — ◯ — 7 — 8

9 3 — ◯ — 5 — 6 — ◯

10 l — 2 — ◯ — 4 — ◯

순서에 알맞게 수를 써넣으세요.

11

2   3

12

3   5

13

1   2   4   6

14

4   7   9

15

3   5   7

16

4   5   9

1단계 9까지의 수

3. 9까지의 수의 순서

● 9까지의 수의 순서 알아보기

수	1	2	3	4	5	6	7	8	9
	하나	둘	셋	넷	다섯	여섯	일곱	여덟	아홉
순서	첫째	둘째	셋째	넷째	다섯째	여섯째	일곱째	여덟째	아홉째

🐙 순서에 알맞은 것에 ○표 하세요.

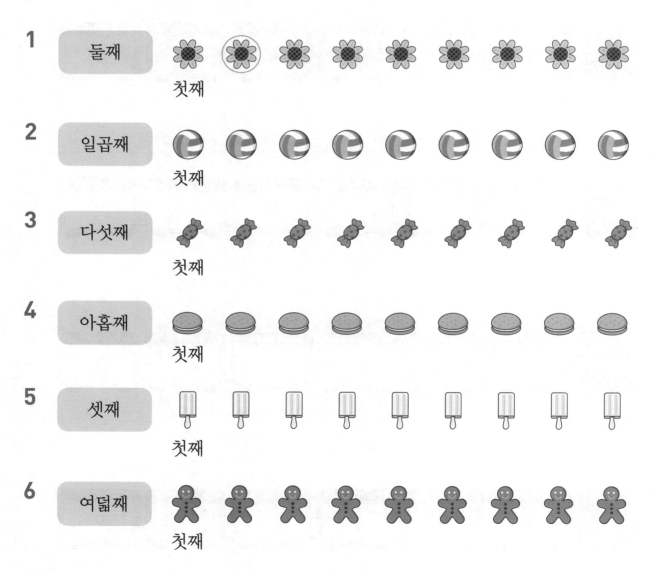

1 둘째
첫째

2 일곱째
첫째

3 다섯째
첫째

4 아홉째
첫째

5 셋째
첫째

6 여덟째
첫째

🐙 몇째인지 ☐ 안에 알맞은 말을 써넣으세요.

7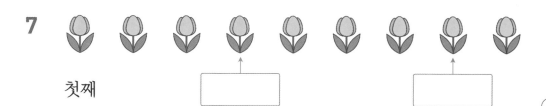

첫째 　　　☐　　　☐

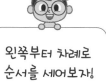
왼쪽부터 차례로
순서를 세어보자!

8

첫째 　　　　☐　　　☐

9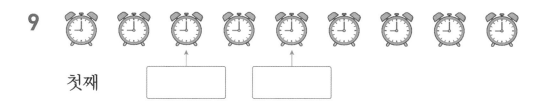

첫째 　　☐　　☐

10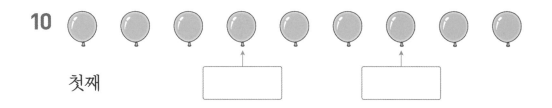

첫째 　　☐　　☐

11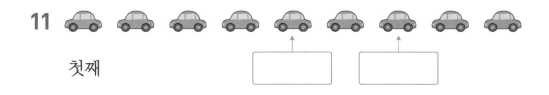

첫째 　　　☐　　☐

12

첫째 　　☐　　☐

3. 9까지의 수의 순서

🐙 보기 와 같이 알맞게 색칠하세요.

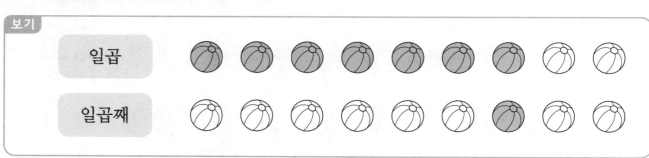

1

2
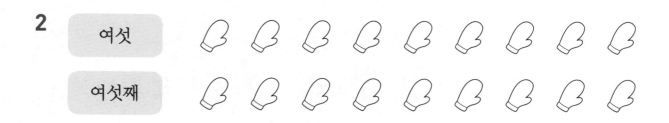

3
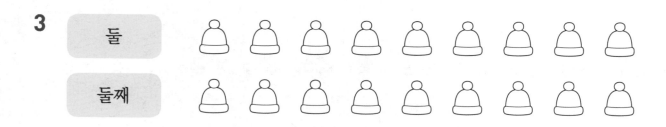

4

🐙 순서에 알맞게 수를 써넣으세요.

5　 7 8 □

6　 7 6 □

7　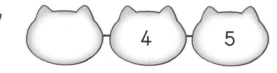 □ 4 5

8　 5 4 □

9　 5 6 □

10　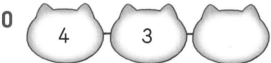 4 3 □

11　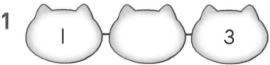 1 □ 3

12　 □ 8 7

13　 6 7 □

14　 □ 2 1

15　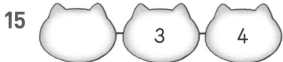 □ 3 4

16　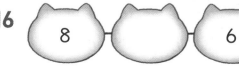 8 □ 6

3. 9까지의 수의 순서

🐙 순서에 알맞게 수나 말을 거꾸로 써넣으세요.

1

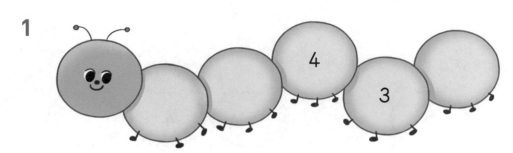

거꾸로 세는 것도 연습해보자!

2

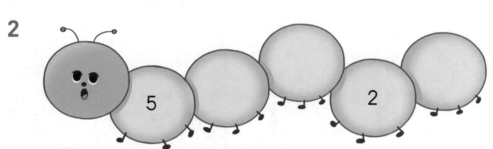

3

4

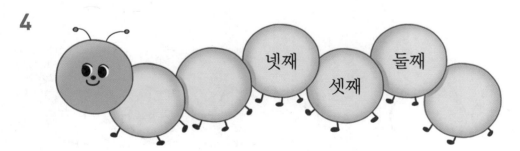

5

🐙 수와 순서를 알맞게 이으세요.

6　| 일곱째 | •

•　| 9 |

7　| 첫째 | •

•　| 7 |

8　| 5 | •

•　| 셋째 |

9　| 아홉째 | •

•　| 다섯째 |

10　| 3 | •

•　| 1 |

💡 생활 속 연산

주아가 옷을 정리하여 서랍에 넣으려고 합니다. 주아의 설명에 알맞게 선으로 이으세요.

티셔츠는 아래에서 셋째,
바지는 아래에서 첫째,
양말은 위에서 첫째
서랍에 넣을 거야.

◎ 1단계 9까지의 수

4. 1만큼 더 큰 수와 1만큼 더 작은 수

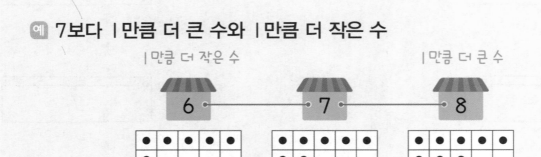

예 7보다 1만큼 더 큰 수와 1만큼 더 작은 수

1만큼 더 작은 수   1만큼 더 큰 수

6 — 7 — 8

🐙 그림의 수보다 1만큼 더 큰 수를 ☐ 안에 써넣으세요.

1

☐ 4

2

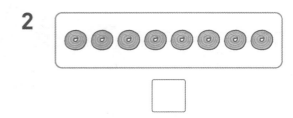

☐

3

☐

4

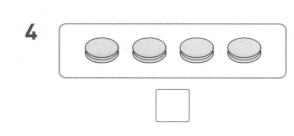

☐

5

☐

6

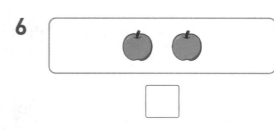

☐

7

☐

8

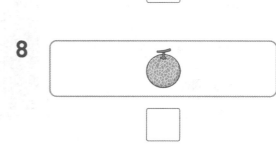

☐

🐙 주어진 수보다 1만큼 더 큰 수를 나타내는 것에 ◯표 하세요.

9

`5`

(   )   (   )   (   )   (   )

10

`2`

(   )   (   )   (   )   (   )

11

`4`

(   )   (   )   (   )   (   )

12

`1`

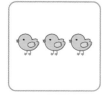 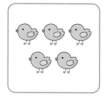

(   )   (   )   (   )   (   )

13

`6`

(   )   (   )   (   )   (   )

4. 1만큼 더 큰 수와 1만큼 더 작은 수

만두의 수보다 1만큼 더 작은 수를 쓰세요.

1

(   )

2

(   )

3

(   )

4

(   )

5

(   )

6

(   )

7

(   )

8

(   )

주어진 수보다 1만큼 더 작은 수를 나타내는 것에 △표 하세요.

9

3

(　) 　 (　) 　 (　) 　 (　)

10

4

(　) 　 (　) 　 (　) 　 (　)

11

7

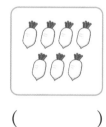  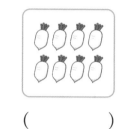 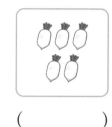

(　) 　 (　) 　 (　) 　 (　)

12

5

(　) 　 (　) 　 (　) 　 (　)

13

8

  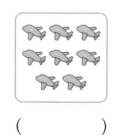 

(　) 　 (　) 　 (　) 　 (　)

4. 1만큼 더 큰 수와 1만큼 더 작은 수

🐙 주어진 수만큼 ◯를 그려 보세요.

1
7보다 I만큼 더 큰 수

2
9보다 I만큼 더 작은 수

3
4보다 I만큼 더 큰 수

4
5보다 I만큼 더 작은 수

5
I보다 I만큼 더 큰 수

6
8보다 I만큼 더 작은 수

7
8보다 I만큼 더 큰 수

8
7보다 I만큼 더 작은 수

9
6보다 I만큼 더 큰 수

10
6보다 I만큼 더 작은 수

빈칸에 알맞은 수를 써넣으세요.

11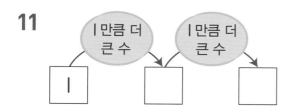

12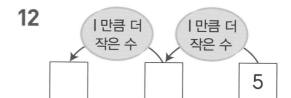

13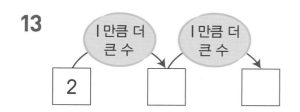

14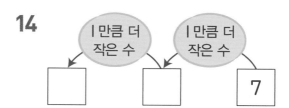

15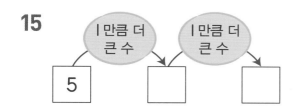

16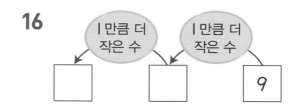

17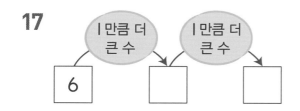

18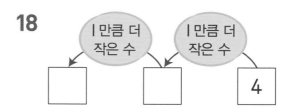

19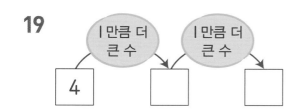

20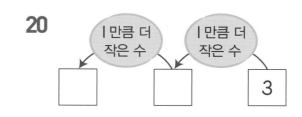

🎯 1단계 9까지의 수

4. 1만큼 더 큰 수와 1만큼 더 작은 수

🐙 주어진 그림을 보고 알맞은 수를 쓰세요.

1 6보다 1만큼 더 큰 수

(   )

2 8보다 1만큼 더 작은 수

(   )

3 4보다 1만큼 더 큰 수

(   )

4 4보다 1만큼 더 작은 수

(   )

5 5보다 1만큼 더 큰 수

(   )

6 2보다 1만큼 더 작은 수

(   )

7 8보다 1만큼 더 큰 수

(   )

8 7보다 1만큼 더 작은 수

(   )

9 3보다 1만큼 더 큰 수

(   )

10 6보다 1만큼 더 작은 수

(   )

🐙 빈칸에 알맞은 수를 써넣으세요.

11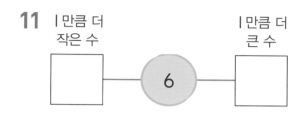

12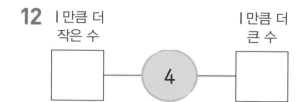

13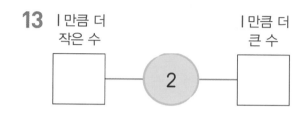

14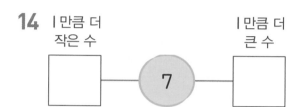

15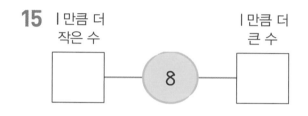

16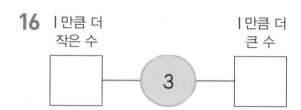

17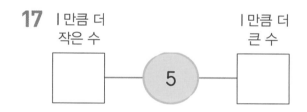

18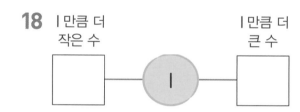

💡 생활 속 연산

어느 동물원에는 사막여우가 알파카보다 1마리 더 많습니다. 알파카가 5마리일 때, 이 동물원에 있는 사막여우는 몇 마리인지 구하세요.

(   )마리

◎1단계 9까지의 수

5. 9까지의 수의 크기 비교

예 4와 6의 크기 비교

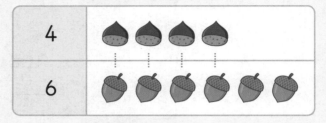

→ ┌ 4는 6보다 작습니다.
　└ 6은 4보다 큽니다.

 그림을 보고 알맞은 말에 ○표 하세요.

1

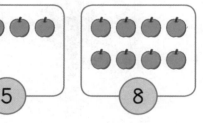

5는 8보다 (큽니다 , ⟨작습니다⟩).

2

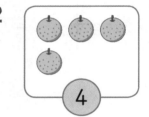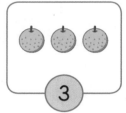

4는 3보다 (큽니다 , 작습니다).

3

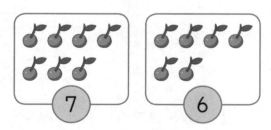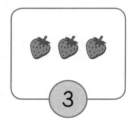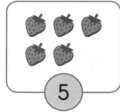

7은 6보다 (큽니다 , 작습니다).

4

3은 5보다 (큽니다 , 작습니다).

5

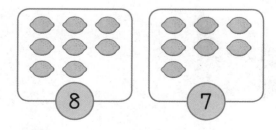

8은 7보다 (큽니다 , 작습니다).

6

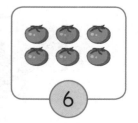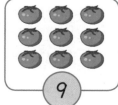

6은 9보다 (큽니다 , 작습니다).

🐙 주어진 수만큼 ○를 그리고 알맞은 말에 ○표 하세요.

○의 수가 많을수록 더 큰 수야.

7

6 —

8 —

➡ 6은 8보다 (큽니다 , 작습니다).

8

4 —

7 —

➡ 4는 7보다 (큽니다 , 작습니다).

9

8 —

5 —

➡ 8은 5보다 (큽니다 , 작습니다).

10

5 —

7 —

➡ 5는 7보다 (큽니다 , 작습니다).

11

9 —

8 —

➡ 9는 8보다 (큽니다 , 작습니다).

5. 9까지의 수의 크기 비교

🐙 그림을 보고 더 큰 수에 ○표 하세요.

1
4	5

2
7	5

3
3	1

4
8	6

5
4	6

6
9	7

7
4	2

8
5	8

9
6	7

10
5	6

🐙 더 큰 수에 ○표 하세요.

11 5 4

12 8 6

13 1 3

14 7 6

15 3 6

16 8 9

17 5 7

18 4 2

19 4 8

20 6 4

21 1 2

22 3 2

5. 9까지의 수의 크기 비교

🐙 그림을 보고 더 작은 수에 △표 하세요.

1

| 3 | 4 |

2

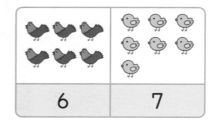

| 6 | 7 |

3

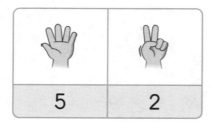

| 5 | 2 |

4

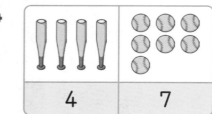

| 4 | 7 |

5

| 9 | 8 |

6

| 8 | 7 |

7

| 6 | 5 |

8

| 6 | 9 |

9

| 2 | 4 |

10

| 1 | 3 |

🐙 더 작은 수에 △표 하세요.

11
| 6 | 4 |

12
| 8 | 6 |

13
| 9 | 8 |

14
| 3 | 7 |

15
| 7 | 8 |

16
| 2 | 5 |

17
| 5 | 6 |

18
| 8 | 2 |

19
| 6 | 9 |

20
| 4 | 5 |

21
| 2 | 7 |

22
| I | 3 |

5. 9까지의 수의 크기 비교

🐙 주어진 그림을 보고 알맞은 수를 모두 찾아 쓰세요.

1 7보다 큰 수

(   )

2 4보다 작은 수

(   )

3 5보다 큰 수

(   )

4 6보다 작은 수

(   )

5 3보다 큰 수

(   )

6 7보다 작은 수

(   )

7 6보다 큰 수

(   )

8 5보다 작은 수

(   )

9 8보다 큰 수

(   )

10 2보다 작은 수

(   )

🐙 가장 큰 수에 ◯표, 가장 작은 수에 △표 하세요.

11

12

13

14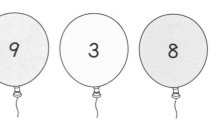

15

16

💡 생활 속 연산

연두색 버스 5대와 파란색 버스 7대가 있습니다. 어느 색 버스가 더 많은지 쓰세요.

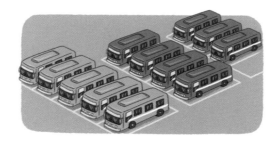

(   ) 버스

마무리 연산

🐙 수로 쓰세요.

1 하나 ➜ ☐　　　　**2** 다섯 ➜ ☐

3 일곱 ➜ ☐　　　　**4** 여섯 ➜ ☐

5 둘 ➜ ☐　　　　**6** 아홉 ➜ ☐

7 여덟 ➜ ☐　　　　**8** 넷 ➜ ☐

🐙 주어진 수와 관계있는 것에 ◯표 하세요.

9 2 │ 일 다섯 이 칠　　　**10** 3 │ 여섯 둘 아홉 셋

11 9 │ 구 일곱 팔 여섯　　　**12** 5 │ 일 다섯 이 칠

13 7 │ 삼 오 여섯 칠　　　**14** 1 │ 일 셋 여덟 아홉

15 8 │ 하나 둘 일곱 여덟　　　**16** 4 │ 셋 사 팔 구

🐙 순서에 알맞게 수나 말을 써넣으세요.

17

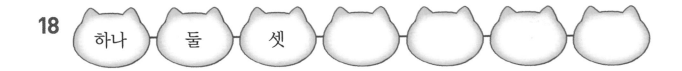

18

19

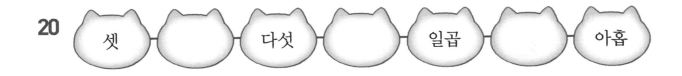

20

21

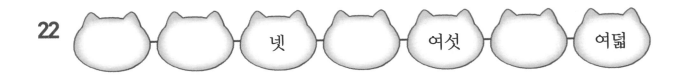

22

◎ 1단계 9까지의 수

마무리 연산

🐙 빈칸에 알맞은 수를 써넣으세요.

1 1만큼 더 작은 수 　　　　1만큼 더 큰 수
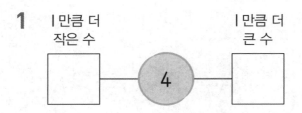

2 1만큼 더 작은 수 　　　　1만큼 더 큰 수
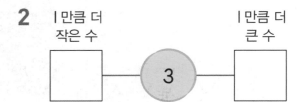

3 1만큼 더 작은 수 　　　　1만큼 더 큰 수
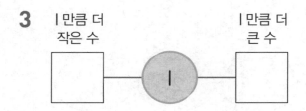

4 1만큼 더 작은 수 　　　　1만큼 더 큰 수
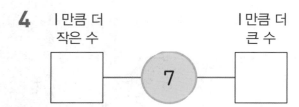

5 1만큼 더 작은 수 　　　　1만큼 더 큰 수
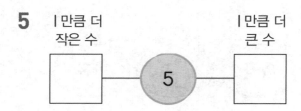

6 1만큼 더 작은 수 　　　　1만큼 더 큰 수
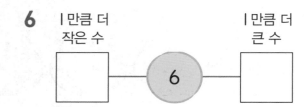

7 1만큼 더 작은 수 　　　　1만큼 더 큰 수
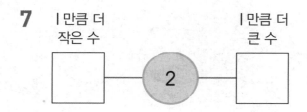

8 1만큼 더 작은 수 　　　　1만큼 더 큰 수
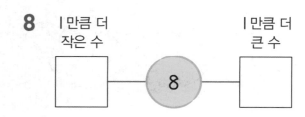

9 1만큼 더 작은 수 　　　　1만큼 더 큰 수
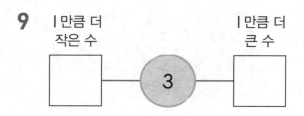

10 1만큼 더 작은 수 　　　　1만큼 더 큰 수
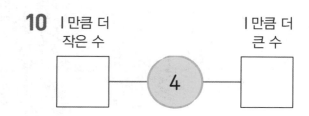

🐙 가장 큰 수에 ○표, 가장 작은 수에 △표 하세요.

11
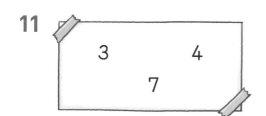
3　　　4
7

12
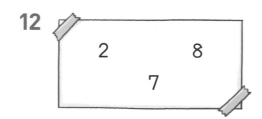
2　　　8
7

13
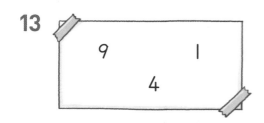
9　　　1
4

14
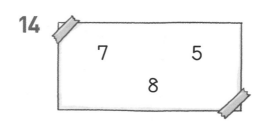
7　　　5
8

15
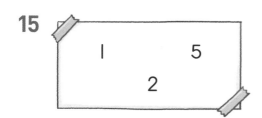
1　　　5
2

16
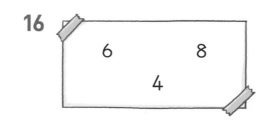
6　　　8
4

17
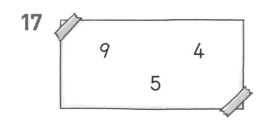
9　　　4
5

18
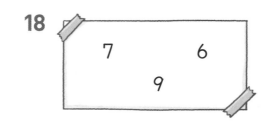
7　　　6
9

19
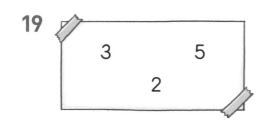
3　　　5
2

20
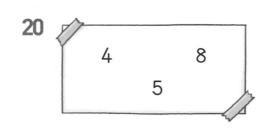
4　　　8
5

2

9까지의 수를 모으기, 가르기

실수하지 않는 유일한 방법은 연습뿐이야!

학습 결과와 시간을 써 보세요!

학습 내용	학습 회차	맞힌 개수/걸린 시간
1. 9까지의 수를 모으기	DAY 01	/
	DAY 02	/
	DAY 03	/
	DAY 04	/
2. 9까지의 수를 가르기	DAY 05	/
	DAY 06	/
	DAY 07	/
	DAY 08	/
3. 여러 가지 방법으로 모으기와 가르기	DAY 09	/
	DAY 10	/
마무리 연산	DAY 11	/
	DAY 12	/

1. 9까지의 수를 모으기

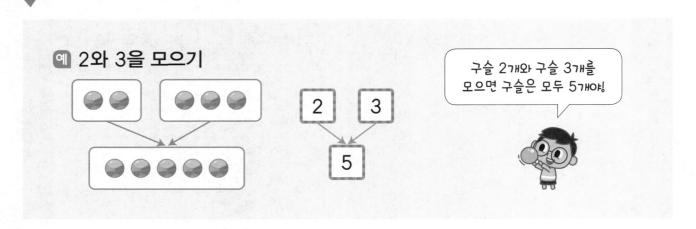

예 2와 3을 모으기

2   3
5

구슬 2개와 구슬 3개를
모으면 구슬은 모두 5개야!

🐙 그림을 보고 모으기를 하세요.

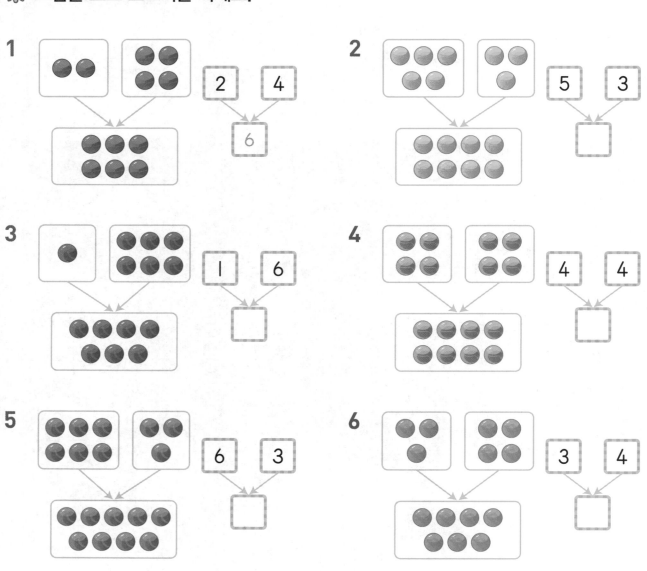

1 2 4
6

2 5 3

3 1 6

4 4 4

5 6 3

6 3 4

🐙 모으기를 하세요.

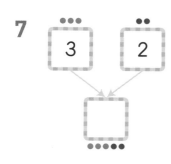

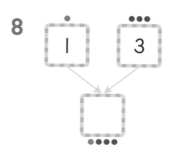

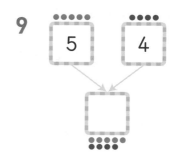

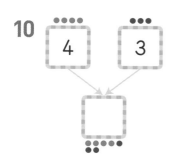

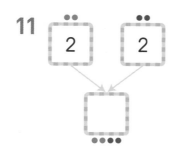

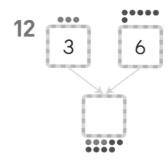

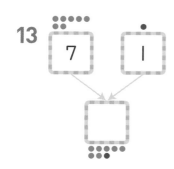

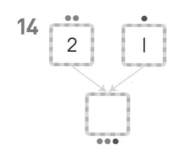

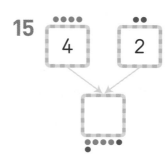

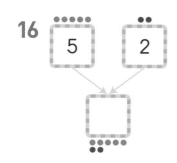

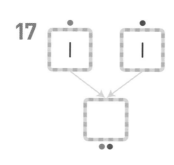

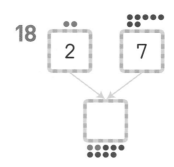

◎ 2단계 9까지의 수를 모으기, 가르기

1. 9까지의 수를 모으기

🐙 빈 곳에 모으기 한 수만큼 ○를 그려 넣고, 빈칸에 알맞은 수를 써넣으세요.

1
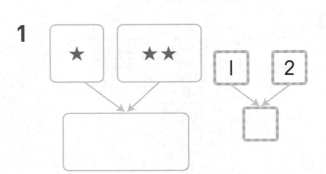

2

3

4
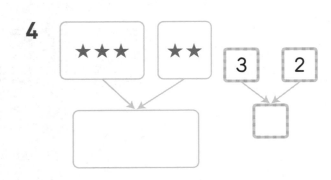

5
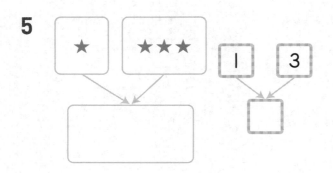

6

7

8
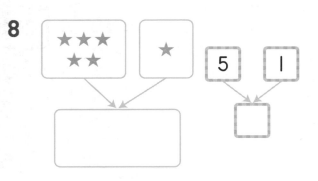

🐙 모으기를 하세요.

9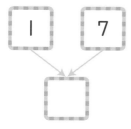

10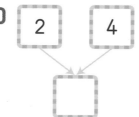

11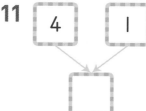

12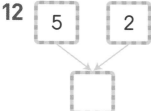

13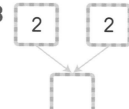

14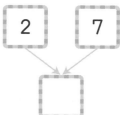

15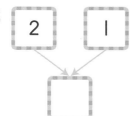

16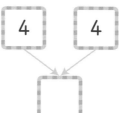

17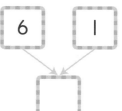

18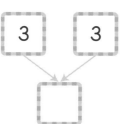

19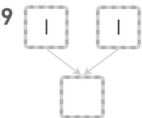

20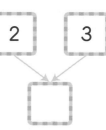

🎯 2단계 9까지의 수를 모으기, 가르기

1. 9까지의 수를 모으기

🐙 그림을 보고 모으기를 하세요.

1
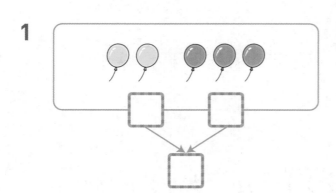

2
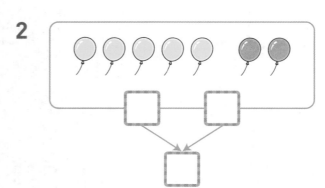

3
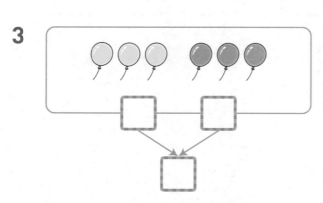

4
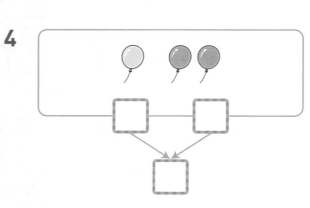

5
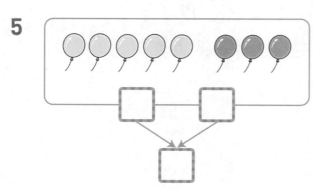

6
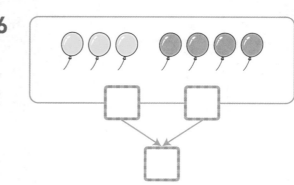

7
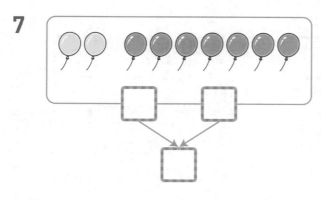

8
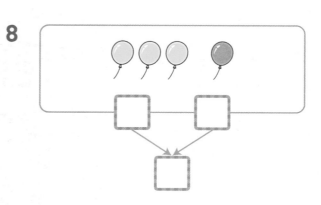

🐙 모으기를 하여 빈칸에 알맞은 수를 써넣으세요.

9
2	2

10
2	6

11
2	4

12
6	3

13
6	1

14
2	1

15
1	7

16
3	2

17
7	2

18
4	5

19
4	3

20
3	5

21
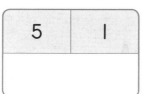
5	1

22

1	8

23
2	5

1. 9까지의 수를 모으기

🐙 그림을 보고 모으기를 하세요.

1
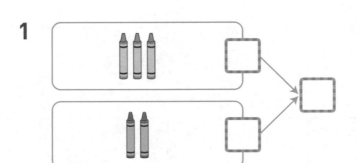

2
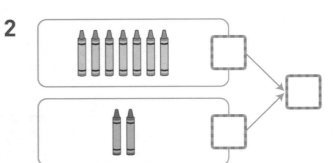

3
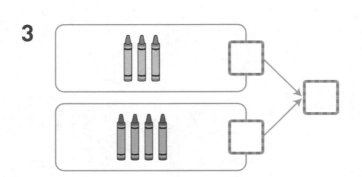

4
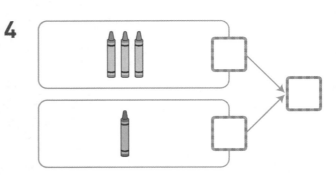

5
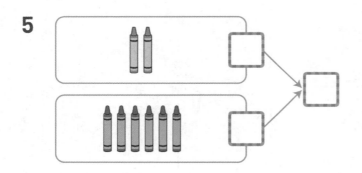

6
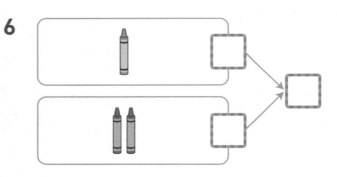

7
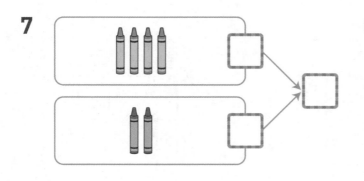

8
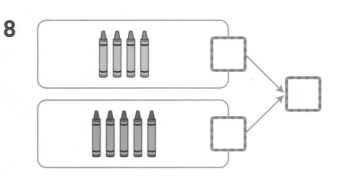

🐙 모으기를 하세요.

9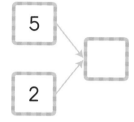

10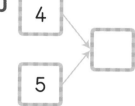

11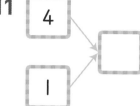

12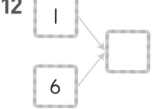

13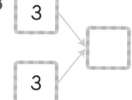

14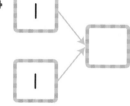

15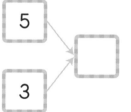

16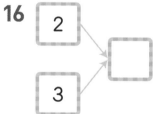

17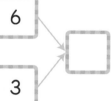

18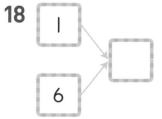

19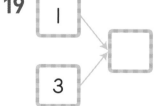

20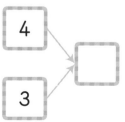

2. 9까지의 수를 가르기

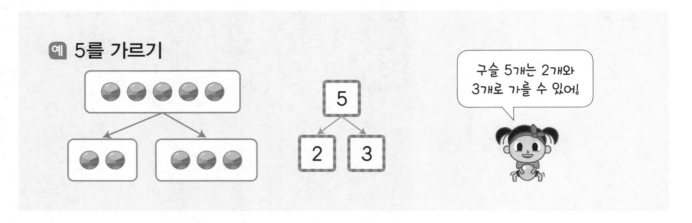

예 5를 가르기

구슬 5개는 2개와 3개로 가를 수 있어!

그림을 보고 가르기를 하세요.

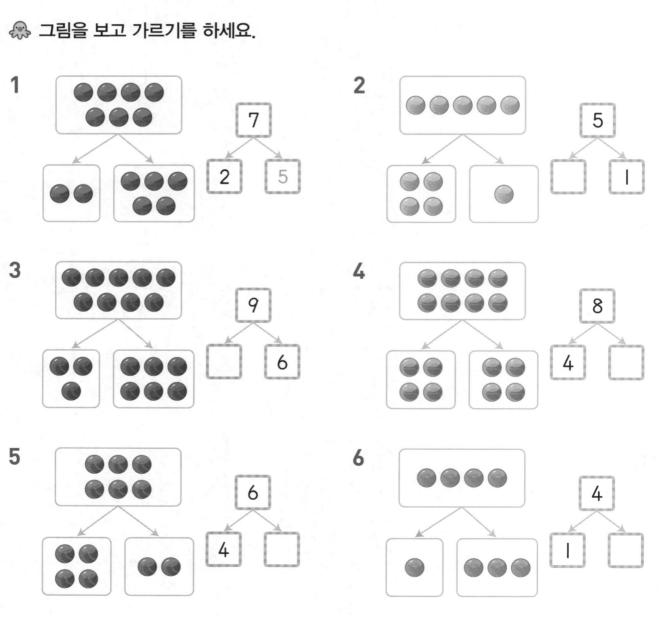

1

7
2   5

2

5
☐   1

3

9
☐   6

4

8
4   ☐

5

6
4   ☐

6

4
1   ☐

🐙 가르기를 하세요.

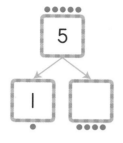

7

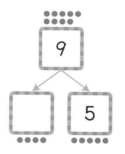

8

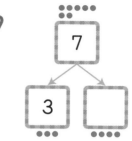

9

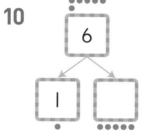

10

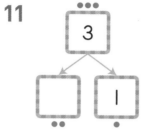

11

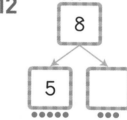

12

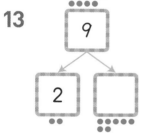

13

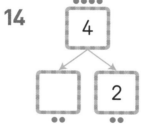

14

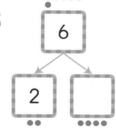

15

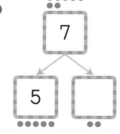

16

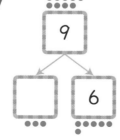

17

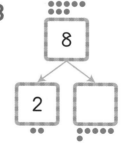

18

2. 9까지의 수를 가르기

🐙 빈 곳에 가르기 한 수만큼 ○를 그려 넣고, 빈칸에 알맞은 수를 써넣으세요.

1

2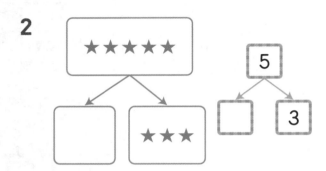

3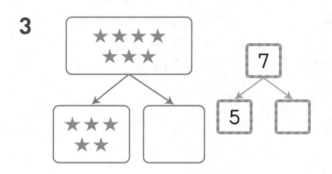

4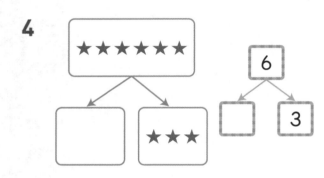

5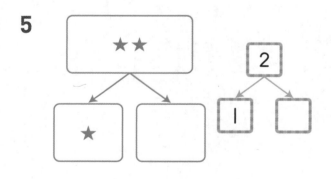

6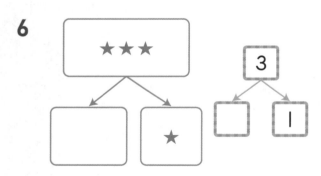

7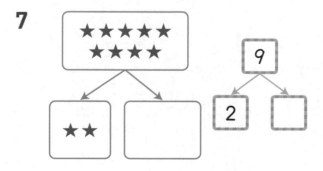

8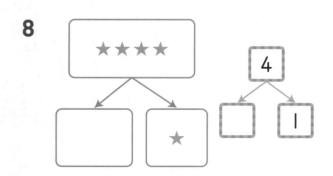

🐙 가르기를 하세요.

9
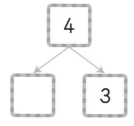

10
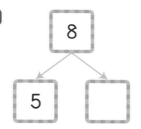

11
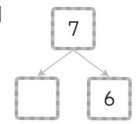

12
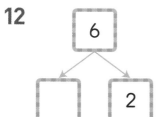

13
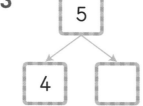

14
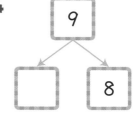

15
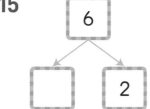

16
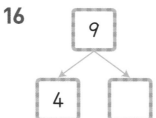

17
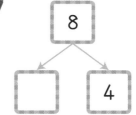

18
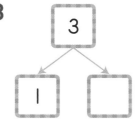

19
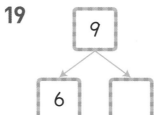

20
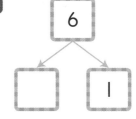

2. 9까지의 수를 가르기

🐙 그림을 보고 가르기를 하세요.

1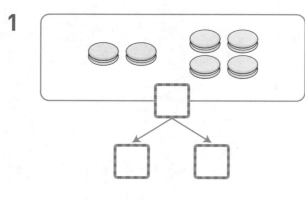

2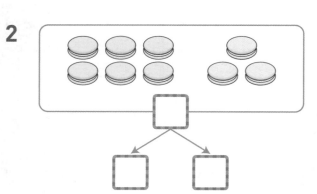

3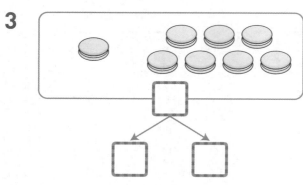

4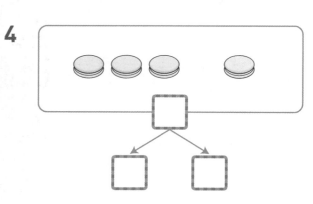

5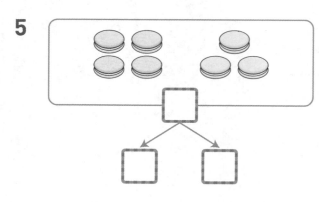

6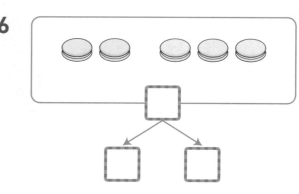

7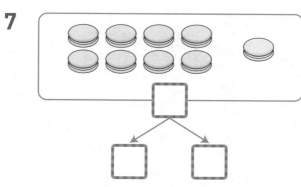

8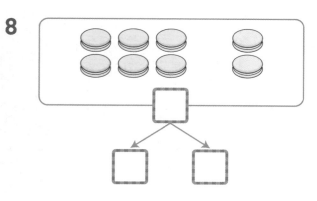

🐙 가르기를 하여 빈칸에 알맞은 수를 써넣으세요.

9

6	
	3

10

8	
3	

11

7	
	2

12

5	
	4

13

9	
2	

14

4	
	3

15

2	
	1

16

8	
4	

17

3	
	2

18

9	
	4

19

7	
6	

20

6	
	1

21

8	
	6

22

5	
3	

23

9	
	8

◎ 2단계 9까지의 수를 모으기, 가르기

2. 9까지의 수를 가르기

🐙 그림을 보고 가르기를 하세요.

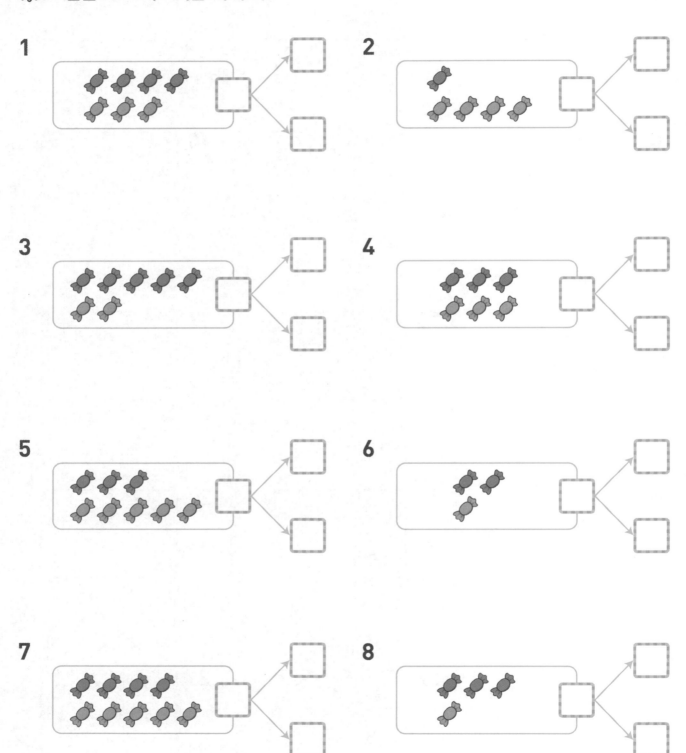

1

2

3

4

5

6

7

8

🐙 가르기를 하세요.

9
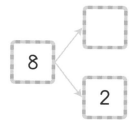

10
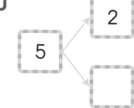

11
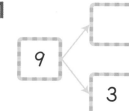

12
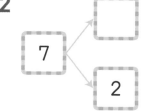

13
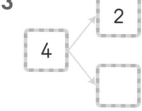

14
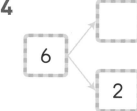

15
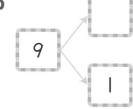

16
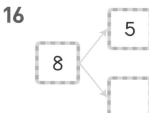

17
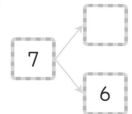

💡 **생활 속 연산**

달걀 4개로 맛있는 달걀찜과 달걀프라이를 하려고 합니다. 달걀찜에 달걀을 더 많이 사용할 수 있게 가르기를 하세요.

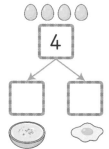

달걀찜　달걀프라이

3. 여러 가지 방법으로 모으기와 가르기

예 두 수를 모아서 5 만들기

| 1 | 4 | 2 | 3 | 3 | 2 | 4 | 1 |

5   5   5   5

🐙 빈칸에 알맞은 수를 써넣으세요.

1
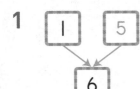 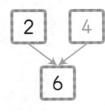 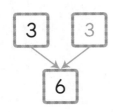 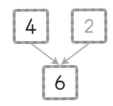

1 5   2 4   3 3   4 2
6   6   6   6

2
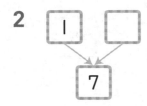 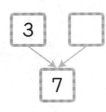 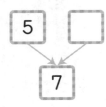 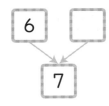

1 □   3 □   5 □   6 □
7   7   7   7

3
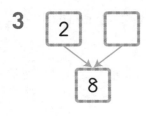 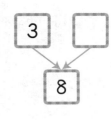 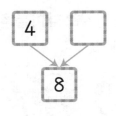 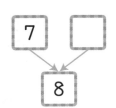

2 □   3 □   4 □   7 □
8   8   8   8

4
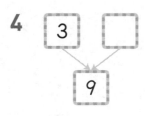 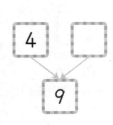 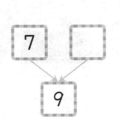 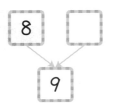

3 □   4 □   7 □   8 □
9   9   9   9

🐙 모으기를 하여 빈 곳에 알맞은 수를 써넣고, 그 수가 다른 것을 찾아 ×표 하세요.

5

(　　　)　　　　(　　　)　　　　(　　　)

6

(　　　)　　　　(　　　)　　　　(　　　)

7

(　　　)　　　　(　　　)　　　　(　　　)

8

(　　　)　　　　(　　　)　　　　(　　　)

9

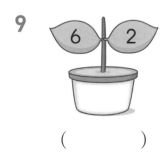　　　　

(　　　)　　　　(　　　)　　　　(　　　)

🎯 2단계 9까지의 수를 모으기, 가르기

3. 여러 가지 방법으로 모으기와 가르기

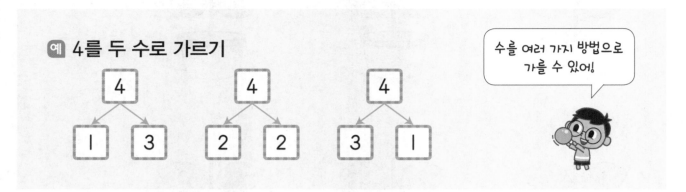

예 4를 두 수로 가르기

수를 여러 가지 방법으로 가를 수 있어!

🐙 주어진 마카롱을 3가지 방법으로 가르기를 하세요.

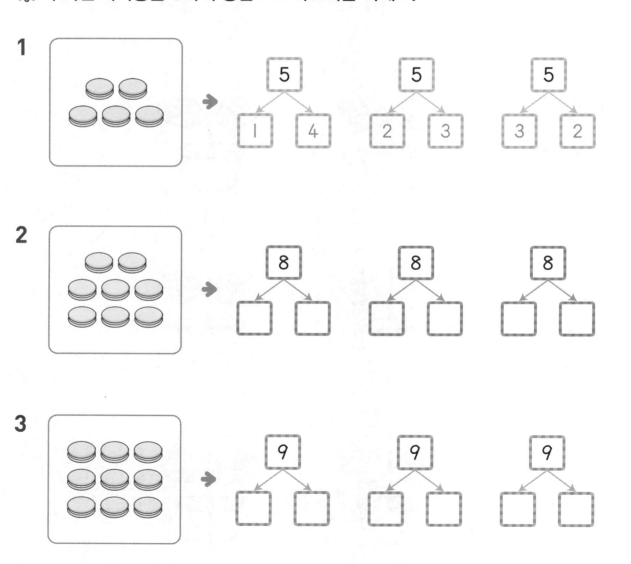

1

5 → 1 4
5 → 2 3
5 → 3 2

2

8
8
8

3

9
9
9

🐙 지붕에 적혀있는 수를 3가지 방법으로 가르기를 하세요.

4
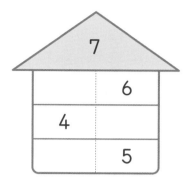

5
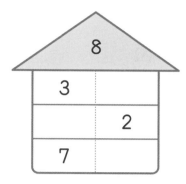

6
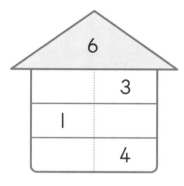

7
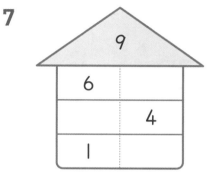

8
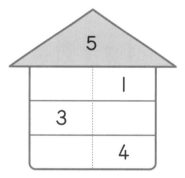

9
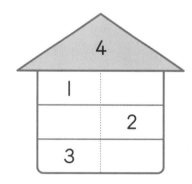

💡 **생활 속 연산**

만두 6개를 진희와 동생이 나누어 먹으려고 합니다. 어떻게 나누어 먹을 수 있는지
2가지 방법으로 가르기를 하세요.

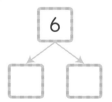
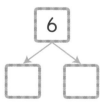

🎯 2단계 9까지의 수를 모으기, 가르기

마무리 연산

🐙 모으기를 하세요.

1
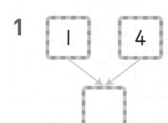

2
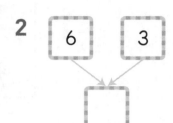

3
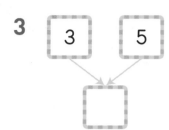

4
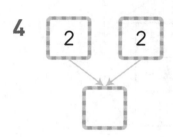

5
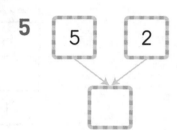

6
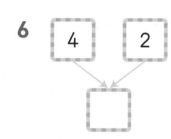

7
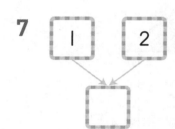

8
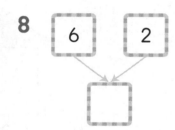

9
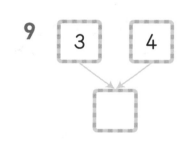

10
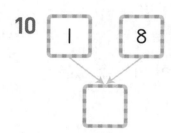

11
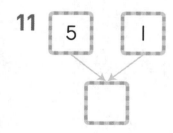

12
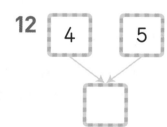

13
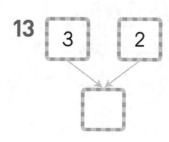

14
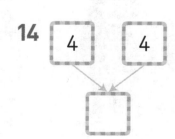

15
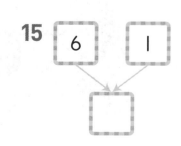

🐙 가르기를 하세요.

16

4	
	1

17

7	
2	

18

9	
	7

19

8	
	3

20

6	
2	

21

3	
	2

22

2	
	1

23

5	
2	

24

8	
	6

25

6	
	3

26

9	
3	

27

7	
	4

28

5	
	1

29

8	
4	

30

9	
	5

DAY 12

◎ 2단계 9까지의 수를 모으기, 가르기

마무리 연산

🐙 모으기를 하여 주어진 수를 만드는 3가지 방법을 찾아 빈칸에 써넣으세요.

1

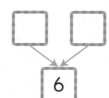
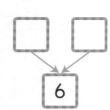
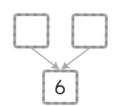

2

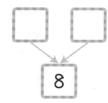
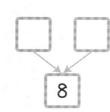
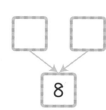

3

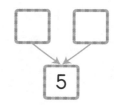
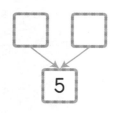
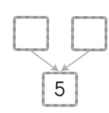

4

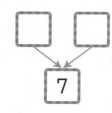
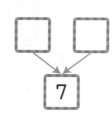
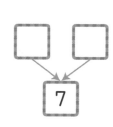

5

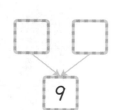
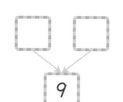

🐙 왼쪽 수를 위와 아래의 두 수로 가르기를 하세요.

6

7	1		3
		5	

7

9	7	5	
			3

8

8			3
	4	1	

9

6		3	1
	2		

10

5		3	
	1		4

11

8	1	5	
			6

12

7		5	6
	4		

13

9			5
	6	8	

3

덧셈과 뺄셈

계산 실수를 하지 않게
집중해서 풀어 보자!

학습 결과와 시간을 써 보세요!

학습 내용	학습 회차	맞힌 개수/걸린 시간
1. 합이 9까지인 수의 덧셈	DAY 01	/
	DAY 02	/
	DAY 03	/
	DAY 04	/
2. 덧셈식에서 □ 구하기	DAY 05	/
	DAY 06	/
3. 한 자리 수의 뺄셈	DAY 07	/
	DAY 08	/
	DAY 09	/
	DAY 10	/
4. 뺄셈식에서 □ 구하기	DAY 11	/
	DAY 12	/
마무리 연산	DAY 13	/
	DAY 14	/

1. 합이 9까지인 수의 덧셈

예 4와 3의 덧셈식

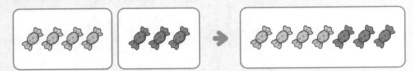

쓰기 $4+3=7$ 읽기 4 더하기 3은 7과 같습니다.
4와 3의 합은 7입니다.

🐙 그림을 보고 ☐ 안에 알맞은 수를 써넣으세요.

1

$3+2=\boxed{5}$

2

$4+3=\boxed{}$

3

$2+5=\boxed{}$

4

$5+4=\boxed{}$

5

$7+1=\boxed{}$

6

$6+2=\boxed{}$

🐙 덧셈식에 맞게 ◯를 더 그리고, ☐ 안에 알맞은 수를 써넣으세요.

7

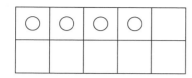

$4+3=\boxed{}$

8

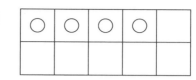

$4+2=\boxed{}$

9

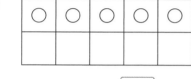

$5+2=\boxed{}$

10

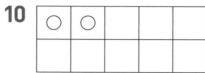

$2+3=\boxed{}$

11

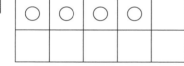

$4+4=\boxed{}$

12

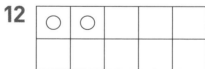

$2+1=\boxed{}$

13

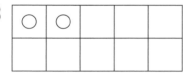

$2+7=\boxed{}$

14

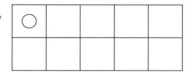

$1+6=\boxed{}$

15

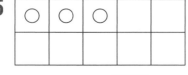

$3+3=\boxed{}$

16

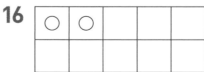

$2+2=\boxed{}$

🎯 3단계 덧셈과 뺄셈

1. 합이 9까지인 수의 덧셈

🐙 그림을 보고 덧셈식을 쓰세요.

1

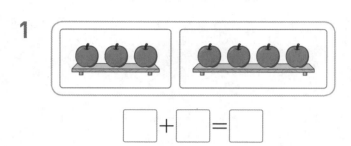

□ + □ = □

2

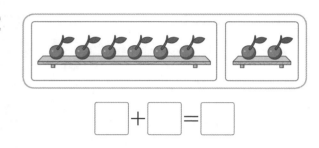

□ + □ = □

3

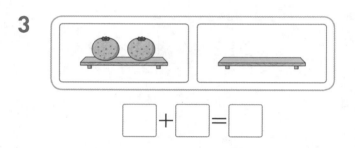

□ + □ = □

4

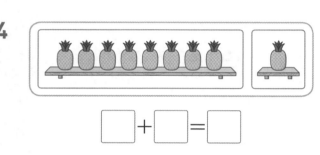

□ + □ = □

5

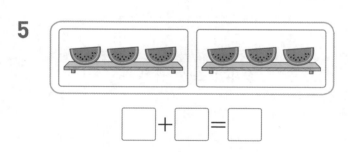

□ + □ = □

6

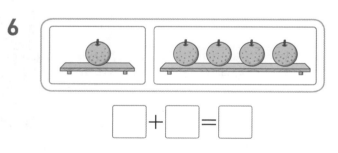

□ + □ = □

7

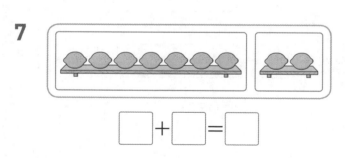

□ + □ = □

8

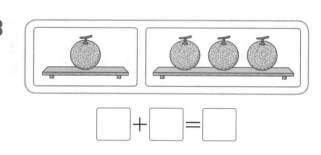

□ + □ = □

9

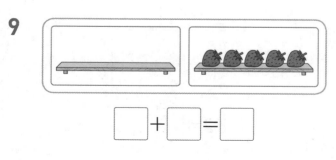

□ + □ = □

10

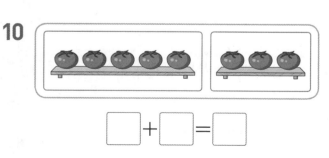

□ + □ = □

🐙 모으기를 하여 빈 곳에 알맞은 수를 써넣고, 덧셈식을 쓰세요.

11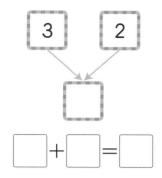

12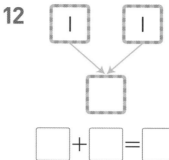

13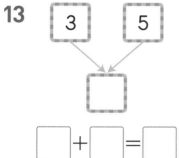

14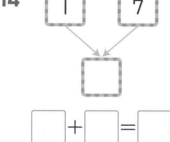

15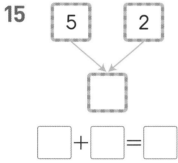

16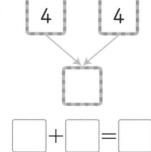

17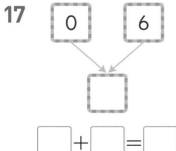

18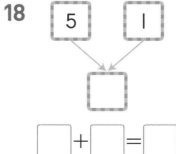

3단계 덧셈과 뺄셈

1. 합이 9까지인 수의 덧셈

🐙 덧셈을 하세요.

1 5+2= ☐

2 4+1= ☐

3 0+3= ☐

4 7+1= ☐

5 3+4= ☐

6 1+5= ☐

7 2+2= ☐

8 4+0= ☐

9 3+6= ☐

10 5+4= ☐

11 1+2= ☐

12 2+6= ☐

13 3+5= ☐

14 2+3= ☐

15 1+3= ☐

16 4+4= ☐

17 1+0= ☐

18 7+2= ☐

19 8+1= ☐

20 2+5= ☐

21 1+7= ☐

🐙 빈 곳에 알맞은 수를 써넣으세요.

22
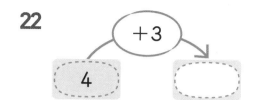

23
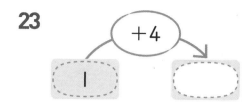

24
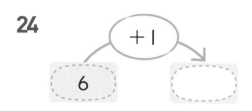

25
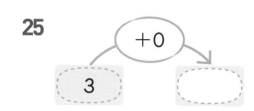

26
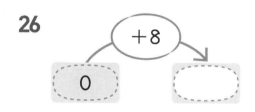

27
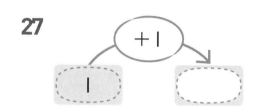

28
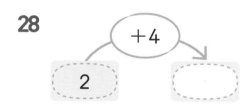

29
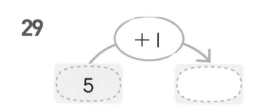

30
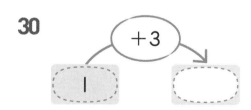

31
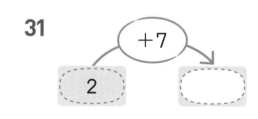

32
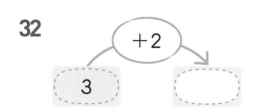

33
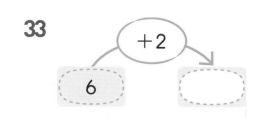

3단계 덧셈과 뺄셈

1. 합이 9까지인 수의 덧셈

🐙 덧셈을 하세요.

1 $1+3=\square$

2 $4+4=\square$

3 $2+5=\square$

4 $3+6=\square$

5 $6+1=\square$

6 $3+3=\square$

7 $5+0=\square$

8 $2+3=\square$

9 $1+5=\square$

10 $6+3=\square$

11 $4+1=\square$

12 $0+6=\square$

13 $1+8=\square$

14 $5+3=\square$

15 $2+4=\square$

16 $4+5=\square$

17 $7+1=\square$

18 $3+4=\square$

19 $1+5=\square$

20 $4+0=\square$

21 $7+2=\square$

🐙 두 수의 합을 빈 곳에 써넣으세요.

22

23

24

25

26

27

28

29

30

💡 **생활 속 연산**

수정이는 금붕어 2마리를 키우고 있습니다. 금붕어가 새끼 5마리를 낳았다면 금붕어는 모두 몇 마리가 되는지 구하세요.

(　　　　　　　　)마리

◎3단계 덧셈과 뺄셈

2. 덧셈식에서 □ 구하기

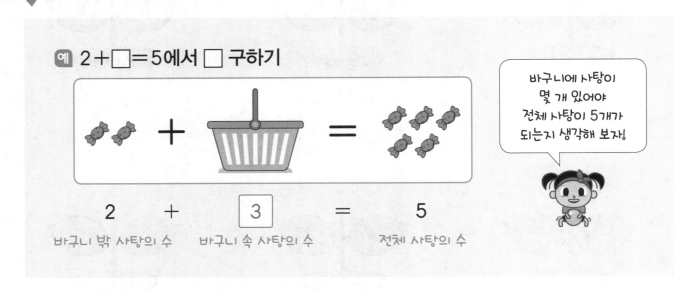

예 2+□=5에서 □ 구하기

바구니에 사탕이 몇 개 있어야 전체 사탕이 5개가 되는지 생각해 보자!

2 + 3 = 5

바구니 밖 사탕의 수   바구니 속 사탕의 수   전체 사탕의 수

🐙 바구니 안에 들어 있는 사탕의 수를 구하려고 합니다. □ 안에 알맞은 수를 써넣으세요.

1

2+ 5 =7

2

□+2=8

3

1+□=5

4

□+3=6

5

5+□=6

6

□+5=9

🐙 ☐ 안에 알맞은 수를 써넣으세요.

7　$1 + \boxed{} = 6$　　**8**　$\boxed{} + 4 = 7$　　**9**　$1 + \boxed{} = 8$

10　$6 + \boxed{} = 8$　　**11**　$\boxed{} + 1 = 4$　　**12**　$4 + \boxed{} = 8$

13　$3 + \boxed{} = 5$　　**14**　$\boxed{} + 4 = 9$　　**15**　$7 + \boxed{} = 8$

16　$2 + \boxed{} = 4$　　**17**　$\boxed{} + 2 = 6$　　**18**　$1 + \boxed{} = 9$

19　$3 + \boxed{} = 9$　　**20**　$\boxed{} + 2 = 3$　　**21**　$2 + \boxed{} = 8$

22　$4 + \boxed{} = 5$　　**23**　$\boxed{} + 5 = 8$　　**24**　$6 + \boxed{} = 7$

25　$2 + \boxed{} = 9$　　**26**　$\boxed{} + 8 = 9$　　**27**　$3 + \boxed{} = 8$

2. 덧셈식에서 □ 구하기

🐙 빈 곳에 들어갈 쿠키의 수만큼 ○를 그리고, □ 안에 알맞은 수를 써넣으세요.

1

🍪🍪🍪 + ☐ = 🍪🍪🍪🍪🍪🍪🍪

3+☐=7

2

☐ + 🍪🍪 = 🍪🍪🍪

☐+2=3

3

🍪🍪 + ☐ = 🍪🍪🍪🍪🍪🍪

2+☐=6

4

☐ + 🍪🍪🍪 = 🍪🍪🍪🍪🍪🍪🍪🍪

☐+3=8

5

🍪🍪🍪🍪🍪🍪 + ☐ = 🍪🍪🍪🍪🍪🍪🍪🍪

6+☐=8

6

☐ + 🍪🍪🍪 = 🍪🍪🍪🍪🍪

☐+3=5

7

🍪🍪🍪🍪🍪 + ☐ = 🍪🍪🍪🍪🍪🍪🍪

5+☐=7

8

☐ + 🍪🍪🍪🍪 = 🍪🍪🍪🍪🍪

☐+4=5

9

🍪 + ☐ = 🍪🍪🍪🍪🍪🍪🍪🍪🍪

1+☐=9

10

☐ + 🍪🍪🍪 = 🍪🍪🍪🍪🍪🍪🍪

☐+3=7

🐙 ☐ 안에 알맞은 수를 써넣으세요.

11

3 → ☐ + ☐ → 5

12

☐ → +4 → 8

13

2 → ☐ + ☐ → 9

14

☐ → +6 → 7

15

l → ☐ + ☐ → 6

16

☐ → +3 → 9

💡 **생활 속 연산**

희준이는 3층에 살고 있습니다. 9층에 살고 있는 민현이네 집에 가려면 몇 층을 더 올라가야 하는지 구하세요.

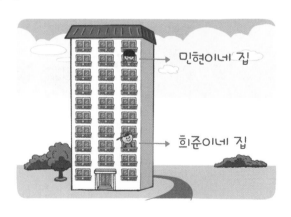

민현이네 집

희준이네 집

$$3 + \boxed{} = 9$$

➡ 희준이는 민현이네 집에 가려면 ☐ 층을 더 올라가야 합니다.

DAY 07

◎ 3단계 덧셈과 뺄셈

3. 한 자리 수의 뺄셈

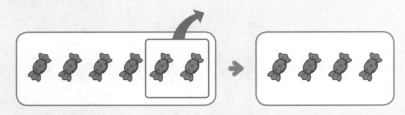

예 6과 2의 뺄셈식

쓰기 6－2＝4   읽기 6 빼기 2는 4와 **같습니다.**
6과 2의 **차**는 4입니다.

🐙 그림을 보고 ☐ 안에 알맞은 수를 써넣으세요.

1

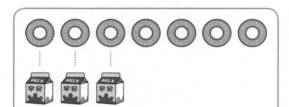

7－3＝ 4

2

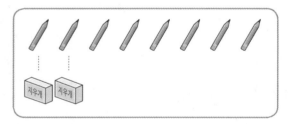

8－2＝☐

3

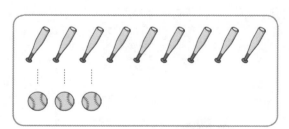

9－3＝☐

4

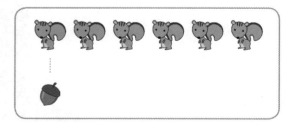

6－1＝☐

🐙 식에 맞게 /으로 ○를 지우고, ☐ 안에 알맞은 수를 써넣으세요.

5
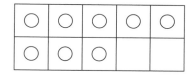

$8-6=$ ☐

6
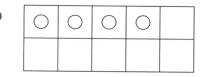

$4-3=$ ☐

7
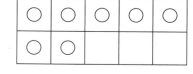

$7-2=$ ☐

8
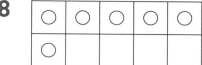

$6-2=$ ☐

9
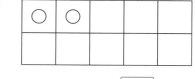

$2-1=$ ☐

10

$9-5=$ ☐

11
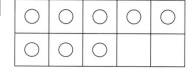

$8-3=$ ☐

12
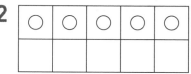

$5-2=$ ☐

13
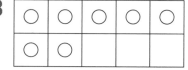

$7-6=$ ☐

14

$8-4=$ ☐

3. 한 자리 수의 뺄셈

🐙 그림을 보고 뺄셈식을 쓰세요.

1

$\boxed{} - \boxed{} = \boxed{}$

2

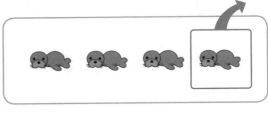

$\boxed{} - \boxed{} = \boxed{}$

3

$\boxed{} - \boxed{} = \boxed{}$

4

$\boxed{} - \boxed{} = \boxed{}$

5

$\boxed{} - \boxed{} = \boxed{}$

6

$\boxed{} - \boxed{} = \boxed{}$

7

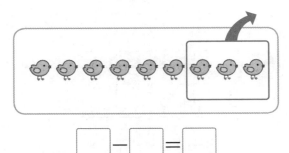

$\boxed{} - \boxed{} = \boxed{}$

8

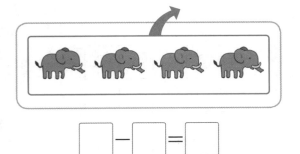

$\boxed{} - \boxed{} = \boxed{}$

🐙 가르기를 하여 빈 곳에 알맞은 수를 써넣고, 뺄셈식을 쓰세요.

9
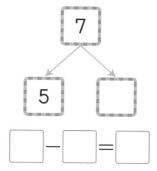

□－□＝□

10
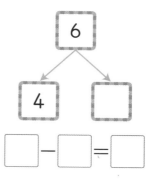

□－□＝□

11
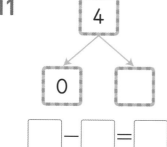

□－□＝□

12
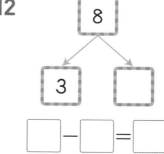

□－□＝□

13
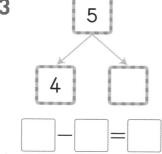

□－□＝□

14
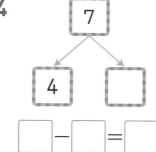

□－□＝□

15
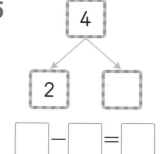

□－□＝□

16
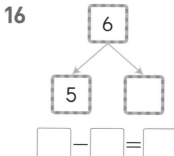

□－□＝□

3. 한 자리 수의 뺄셈

🐙 뺄셈을 하세요.

1 6-4=□

2 7-2=□

3 3-1=□

4 5-2=□

5 9-5=□

6 4-4=□

7 8-6=□

8 2-1=□

9 6-3=□

10 9-0=□

11 5-3=□

12 9-1=□

13 3-2=□

14 8-4=□

15 9-4=□

16 8-1=□

17 2-2=□

18 6-5=□

19 4-3=□

20 9-7=□

21 8-5=□

🐙 빈 곳에 알맞은 수를 써넣으세요.

22

23

24

25

26

27

28

29

30

31

32

33

3. 한 자리 수의 뺄셈

🐙 뺄셈을 하세요.

1 8−3=☐

2 6−2=☐

3 4−0=☐

4 9−4=☐

5 5−1=☐

6 4−2=☐

7 7−3=☐

8 3−2=☐

9 9−7=☐

10 9−1=☐

11 7−5=☐

12 9−3=☐

13 9−9=☐

14 6−3=☐

15 8−8=☐

16 7−4=☐

17 5−2=☐

18 4−3=☐

19 8−5=☐

20 6−6=☐

21 9−8=☐

🐙 보기 와 같이 배에 적힌 뺄셈식의 답이 적힌 물고기를 찾아 선으로 이으세요.

보기

22

23

24

25

26

💡 생활 속 연산

정우네 닭장에는 달걀이 8개 있었습니다. 그중 6개의 달걀에서 병아리가 태어났다면 병아리가 태어나지 않은 달걀은 몇 개인지 구하세요.

(   )개

◎3단계 덧셈과 뺄셈

4. 뺄셈식에서 □ 구하기

예 8−□=3에서 □ 구하기

사탕 8개에서 몇 개를 빼내면 3개가 남을지 생각해 보자!

🐙 − ? = 🍬🍬

8 − 5 = 3

🐙 그림을 보고 □ 안에 알맞은 수를 써넣으세요.

1 🍎🍎🍎 − ? = 🍎🍎

$3 - \boxed{1} = 2$

2 ? − 🌶🌶🌶🌶🌶 = 🌶

$\boxed{} - 5 = 1$

3 🍅🍅🍅🍅 🍅🍅🍅 − ? = 🍅🍅 🍅🍅

$7 - \boxed{} = 4$

4 ? − 🫐🫐🫐🫐 = 🫐🫐

$\boxed{} - 7 = 2$

5 🥕🥕🥕🥕🥕 🥕🥕🥕🥕 − ? = 🥕🥕🥕 🥕🥕🥕

$9 - \boxed{} = 6$

6 ? − 🍌🍌 = 🍌🍌🍌

$\boxed{} - 2 = 3$

🐙 ☐ 안에 알맞은 수를 써넣으세요.

7 $7 - \boxed{} = 3$

8 $\boxed{} - 2 = 1$

9 $9 - \boxed{} = 3$

10 $5 - \boxed{} = 4$

11 $\boxed{} - 3 = 3$

12 $9 - \boxed{} = 4$

13 $7 - \boxed{} = 0$

14 $\boxed{} - 6 = 2$

15 $5 - \boxed{} = 1$

16 $4 - \boxed{} = 1$

17 $\boxed{} - 2 = 5$

18 $9 - \boxed{} = 5$

19 $5 - \boxed{} = 0$

20 $\boxed{} - 1 = 1$

21 $8 - \boxed{} = 6$

22 $7 - \boxed{} = 2$

23 $\boxed{} - 1 = 8$

24 $4 - \boxed{} = 2$

25 $8 - \boxed{} = 5$

26 $\boxed{} - 3 = 2$

27 $9 - \boxed{} = 1$

4. 뺄셈식에서 □ 구하기

🐙 양쪽 구슬의 수가 같아지도록 /으로 지우고, □ 안에 알맞은 수를 써넣으세요.

1

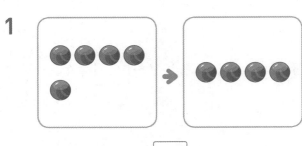

$5 - \boxed{} = 4$

2

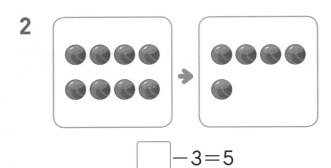

$\boxed{} - 3 = 5$

3

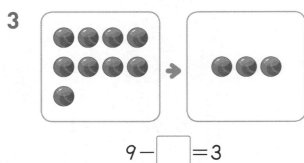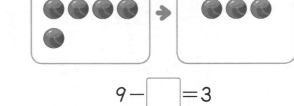

$9 - \boxed{} = 3$

4

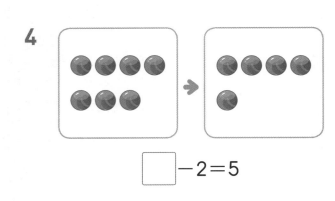

$\boxed{} - 2 = 5$

5

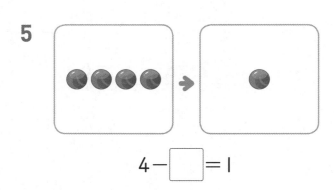

$4 - \boxed{} = 1$

6

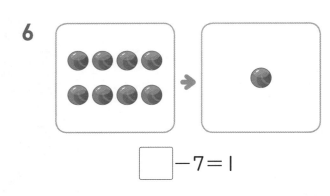

$\boxed{} - 7 = 1$

7

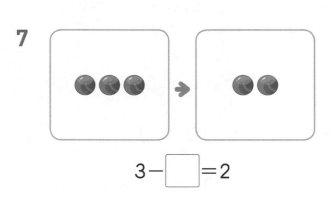

$3 - \boxed{} = 2$

8

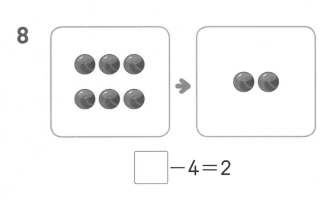

$\boxed{} - 4 = 2$

🐙 □ 안에 알맞은 수를 써넣으세요.

9

6 → □ − □ → 3

10

□ → □ − 3 → 6

11

8 → □ − □ → 2

12

□ → □ − 5 → 0

13

4 → □ − □ → 2

14

□ → □ − 3 → 4

15

3 → □ − □ → 3

16

□ → □ − 1 → 7

💡 **생활 속 연산**

연희는 색종이 5장을 가지고 있었습니다. 그중 몇 장을 사용했더니 2장이 남았습니다. 연희가 사용한 색종이는 몇 장인지 구하세요.

(　　　　　　)장

마무리 연산

🐙 덧셈을 하세요.

1 6+1=☐

2 2+7=☐

3 5+2=☐

4 3+5=☐

5 1+4=☐

6 7+0=☐

7 8+1=☐

8 4+4=☐

9 2+3=☐

10 0+3=☐

11 6+2=☐

12 3+4=☐

13 4+2=☐

14 2+5=☐

15 3+1=☐

16 5+4=☐

17 3+3=☐

18 1+2=☐

19 6+3=☐

20 2+4=☐

21 4+5=☐

🐙 ☐ 안에 알맞은 수를 써넣으세요.

22 $2+\boxed{}=8$ **23** $\boxed{}+3=7$ **24** $2+\boxed{}=5$

25 $1+\boxed{}=7$ **26** $\boxed{}+1=5$ **27** $2+\boxed{}=4$

28 $5+\boxed{}=7$ **29** $\boxed{}+6=9$ **30** $3+\boxed{}=7$

31 $5+\boxed{}=6$ **32** $\boxed{}+2=9$ **33** $3+\boxed{}=6$

34 $3+\boxed{}=8$ **35** $\boxed{}+4=4$ **36** $7+\boxed{}=9$

37 $6+\boxed{}=9$ **38** $\boxed{}+3=5$ **39** $4+\boxed{}=8$

40 $2+\boxed{}=8$ **41** $\boxed{}+1=4$ **42** $3+\boxed{}=8$

◎ 3단계 덧셈과 뺄셈

마무리 연산

🐙 뺄셈을 하세요.

1 $4-2=\boxed{}$

2 $9-5=\boxed{}$

3 $7-0=\boxed{}$

4 $8-3=\boxed{}$

5 $3-1=\boxed{}$

6 $5-1=\boxed{}$

7 $6-6=\boxed{}$

8 $7-3=\boxed{}$

9 $9-8=\boxed{}$

10 $5-2=\boxed{}$

11 $6-5=\boxed{}$

12 $8-4=\boxed{}$

13 $7-5=\boxed{}$

14 $3-2=\boxed{}$

15 $9-3=\boxed{}$

16 $6-1=\boxed{}$

17 $8-6=\boxed{}$

18 $5-3=\boxed{}$

19 $9-6=\boxed{}$

20 $2-1=\boxed{}$

21 $7-7=\boxed{}$

🐙 ☐ 안에 알맞은 수를 써넣으세요.

22 $9 - \boxed{} = 5$　　　　**23** $\boxed{} - 2 = 4$　　　　**24** $4 - \boxed{} = 1$

25 $8 - \boxed{} = 1$　　　　**26** $\boxed{} - 4 = 1$　　　　**27** $7 - \boxed{} = 6$

28 $3 - \boxed{} = 2$　　　　**29** $\boxed{} - 3 = 3$　　　　**30** $8 - \boxed{} = 3$

31 $4 - \boxed{} = 0$　　　　**32** $\boxed{} - 7 = 2$　　　　**33** $5 - \boxed{} = 3$

34 $6 - \boxed{} = 2$　　　　**35** $\boxed{} - 6 = 1$　　　　**36** $9 - \boxed{} = 7$

37 $5 - \boxed{} = 4$　　　　**38** $\boxed{} - 2 = 6$　　　　**39** $6 - \boxed{} = 6$

40 $3 - \boxed{} = 1$　　　　**41** $\boxed{} - 4 = 3$　　　　**42** $9 - \boxed{} = 8$

4

50까지의 수

연산을 잘하면
실생활에서도 유용하게
쓸 수 있어!

학습 결과와 시간을 써 보세요!

학습 내용	학습 회차	맞힌 개수/걸린 시간
1. 9 다음 수	DAY 01	/
	DAY 02	/
	DAY 03	/
2. 십몇	DAY 04	/
	DAY 05	/
	DAY 06	/
3. 19까지의 수를 모으기와 가르기	DAY 07	/
	DAY 08	/
	DAY 09	/
4. 50까지의 수를 10개씩 묶어 세기	DAY 10	/
	DAY 11	/
	DAY 12	/
5. 50까지의 수	DAY 13	/
	DAY 14	/
	DAY 15	/
	DAY 16	/
6. 50까지의 수의 순서	DAY 17	/
	DAY 18	/
	DAY 19	/
7. 50까지의 수의 크기 비교	DAY 20	/
	DAY 21	/
	DAY 22	/
	DAY 23	/
마무리 연산	DAY 24	/
	DAY 25	/

기초력 상승!

하나 둘! 하나 둘!

1. 9 다음 수

● 10을 쓰고 읽기

쓰기	읽기
10	십, 열

9보다 1만큼 더 큰 수를 10이라고 해!

🐙 10이 되도록 ○를 그려 보세요.

1

2

3

4

5

6

7

8

9

10

그림을 보고 ☐ 안에 알맞은 수를 써넣으세요.

11

10은 6보다 ☐만큼 더 큰 수입니다.

12

10은 ☐보다 6만큼 더 큰 수입니다.

13

10은 3보다 ☐만큼 더 큰 수입니다.

14

10은 ☐보다 2만큼 더 큰 수입니다.

15

10은 1보다 ☐만큼 더 큰 수입니다.

16

10은 ☐보다 5만큼 더 큰 수입니다.

17

10은 2보다 ☐만큼 더 큰 수입니다.

18

10은 ☐보다 1만큼 더 큰 수입니다.

1. 9 다음 수

🐙 모으기를 하세요.

1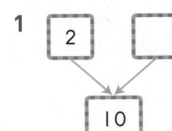

2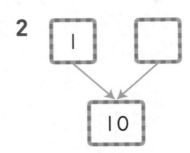

3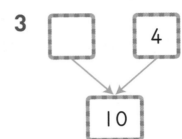

4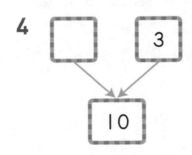

5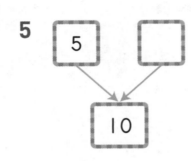

6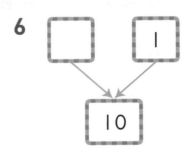

7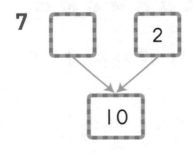

8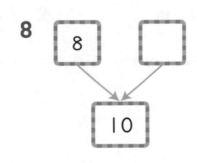

9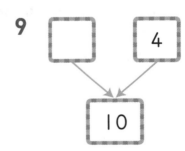

10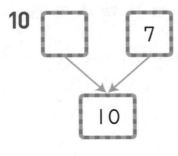

11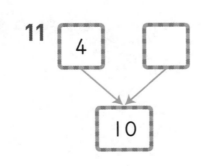

12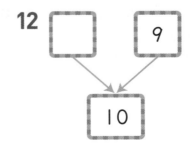

🐙 그림을 보고 모으기를 하세요.

13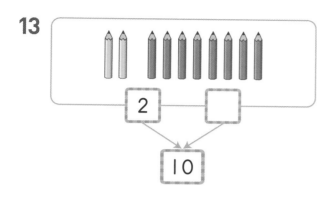

2 ☐ → 10

14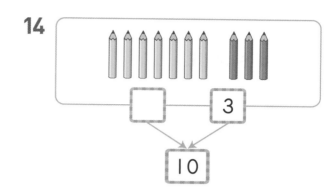

☐ 3 → 10

15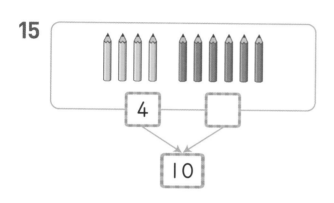

4 ☐ → 10

16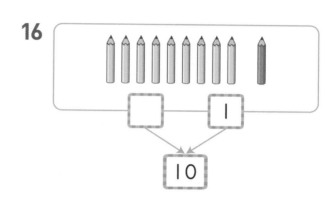

☐ 1 → 10

17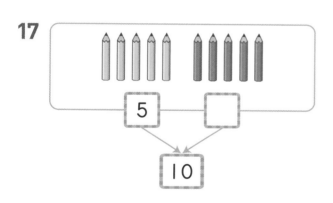

5 ☐ → 10

18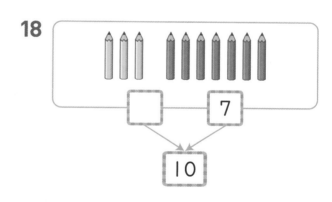

☐ 7 → 10

19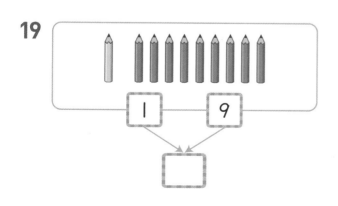

1 9 → ☐

20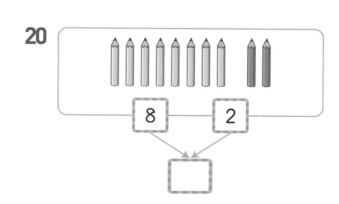

8 2 → ☐

🎯 4단계 50까지의 수

1. 9 다음 수

🐙 가르기를 하세요.

1
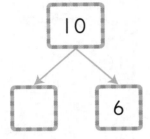

2
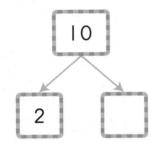

3
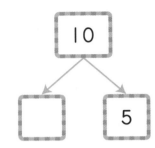

4
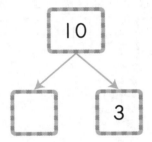

5
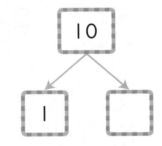

6
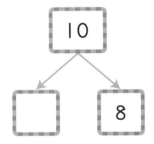

7
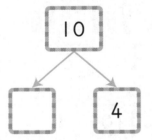

8
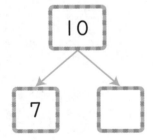

9
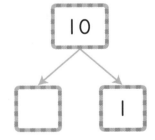

10
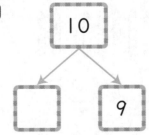

11
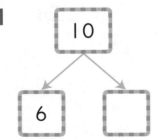

12
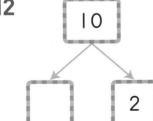

🐙 그림을 보고 가르기를 하세요.

13

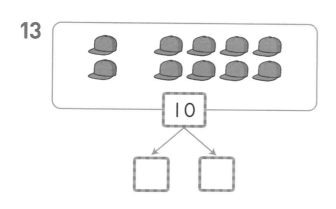

14

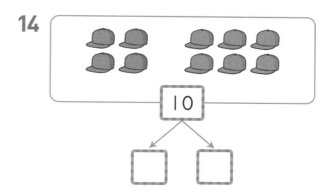

15

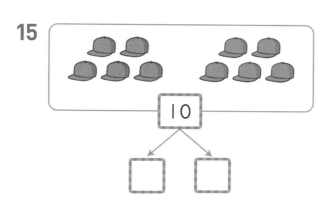

16

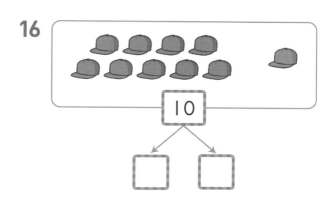

17

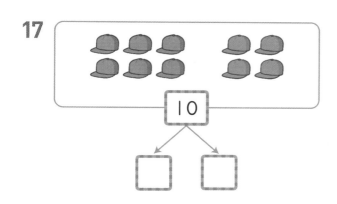

18

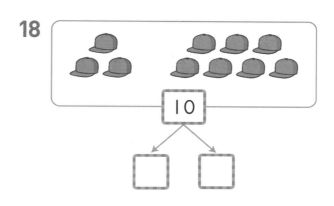

💡 **생활 속 연산**

지안이는 쿠키를 7개 만들었습니다. 쿠키가 10개가 되려면 몇 개를 더 만들어야 하는지 구하세요.

(   )개

2. 십몇

● 19까지의 수 쓰고 읽기

쓰기	11	12	13	14	15	16	17	18	19
읽기	십일	십이	십삼	십사	십오	십육	십칠	십팔	십구
	열하나	열둘	열셋	열넷	열다섯	열여섯	열일곱	열여덟	열아홉

🐙 수를 세어 ☐ 안에 알맞은 수를 써넣으세요.

1

➡ 19

2

➡ ☐

3

➡ ☐

4

➡ ☐

5

➡ ☐

6

➡ ☐

🐙 빈 곳에 알맞은 수를 써넣으세요.

7

10개씩 묶음	1
낱개	3

➡ ◯

8

⑱ ➡

10개씩 묶음	
낱개	

9

10개씩 묶음	1
낱개	6

➡ ◯

10

⑫ ➡

10개씩 묶음	
낱개	

11

10개씩 묶음	1
낱개	9

➡ ◯

12

⑰ ➡

10개씩 묶음	
낱개	

13

10개씩 묶음	1
낱개	8

➡ ◯

14

⑭ ➡

10개씩 묶음	
낱개	

15

10개씩 묶음	1
낱개	5

➡ ◯

16

⑪ ➡

10개씩 묶음	
낱개	

◎ 4단계 50까지의 수

2. 십몇

🐙 주어진 그림을 10개씩 묶고, 빈칸에 알맞은 수를 써넣으세요.

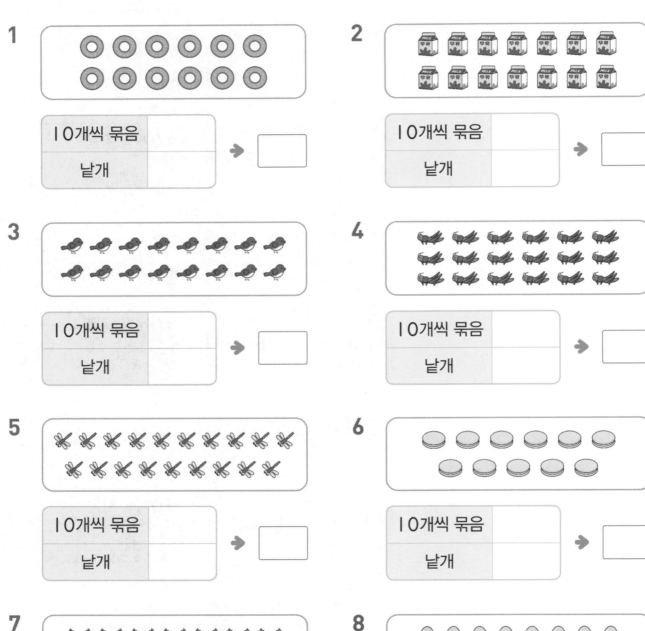

1

10개씩 묶음	
낱개	

➡ ☐

2

10개씩 묶음	
낱개	

➡ ☐

3

10개씩 묶음	
낱개	

➡ ☐

4

10개씩 묶음	
낱개	

➡ ☐

5

10개씩 묶음	
낱개	

➡ ☐

6

10개씩 묶음	
낱개	

➡ ☐

7

10개씩 묶음	
낱개	

➡ ☐

8

10개씩 묶음	
낱개	

➡ ☐

🐙 구슬의 수를 세어 쓰고 두 가지 방법으로 읽어 보세요.

9

쓰기	
읽기	

10

쓰기	
읽기	

11

쓰기	
읽기	

12

쓰기	
읽기	

13

쓰기	
읽기	

14

쓰기	
읽기	

15

쓰기	
읽기	

16

쓰기	
읽기	

2. 십몇

🐙 수를 세어 쓰고 두 가지 방법으로 읽어 보세요.

1

쓰기		
읽기		

2
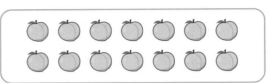

쓰기		
읽기		

3

쓰기		
읽기		

4

쓰기		
읽기		

5

쓰기		
읽기		

6

쓰기		
읽기		

7

쓰기		
읽기		

8

쓰기		
읽기		

🐙 사용된 블록의 수를 구하세요.

9

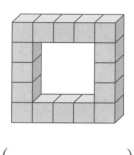

(   )

10

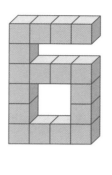

(   )

11

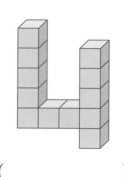

(   )

12

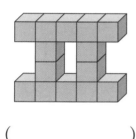

(   )

13

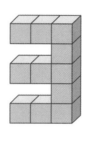

(   )

14

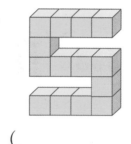

(   )

💡 생활 속 연산

정민이가 학교에 입학하는 날, 학교 앞에 걸린 현수막입니다. 빨간색으로 밑줄 친 수를 두 가지 방법으로 읽어 보세요.

(,   )

🎯 4단계 50까지의 수

3. 19까지의 수를 모으기와 가르기

예 4와 8 모으기

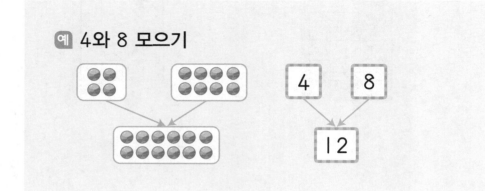

🐙 그림을 보고 모으기를 하세요.

1

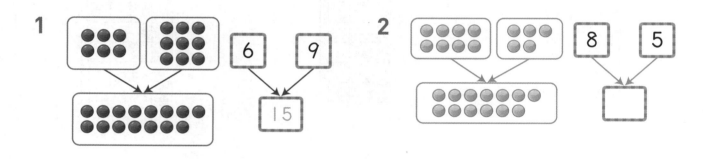

6 9 → 15

2

8 5

3

8 6

4

6 5

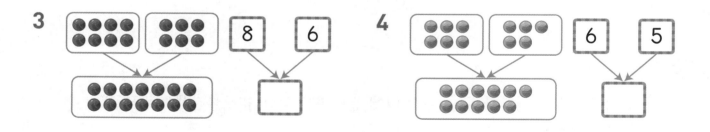

5

9 7

6

9 9

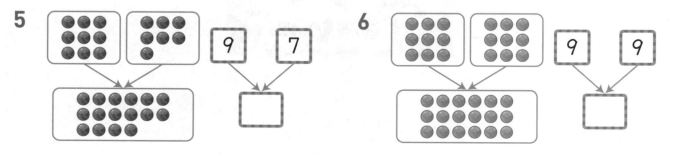

🐙 모으기를 하세요.

7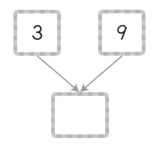

8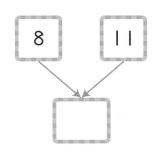

9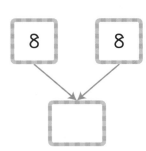

10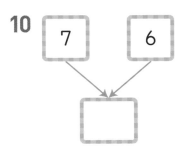

11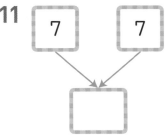

12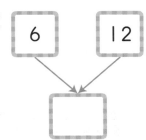

13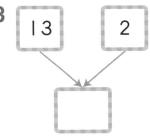

14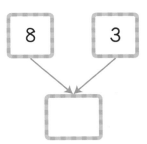

15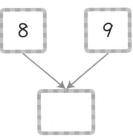

16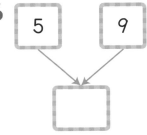

17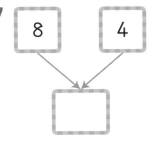

18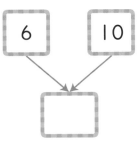

◎ 4단계 50까지의 수

3. 19까지의 수를 모으기와 가르기

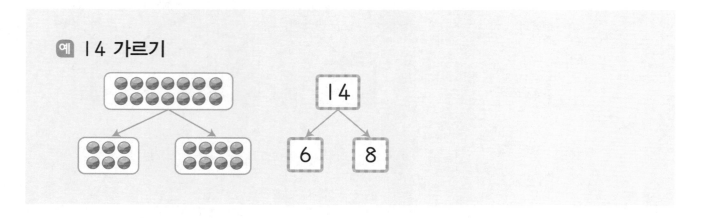

예 14 가르기

🐙 그림을 보고 가르기를 하세요.

1

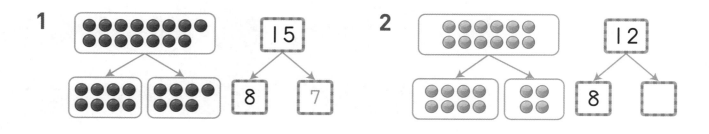

3

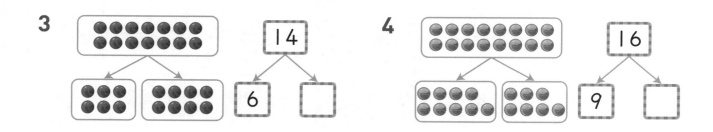

5

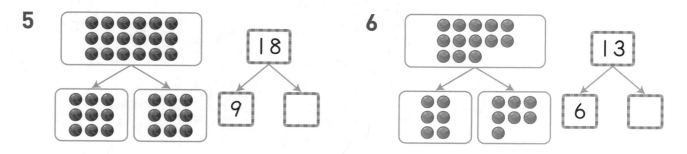

🐙 가르기를 하세요.

7
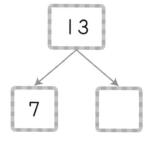

8
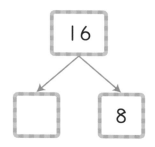

9
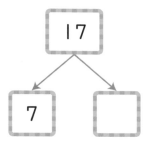

10
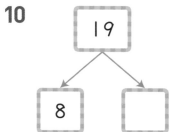

11
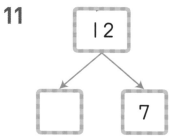

12
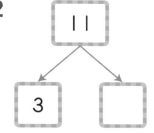

13
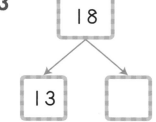

14
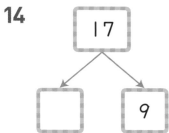

15
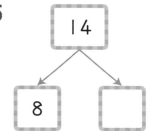

16
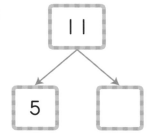

17
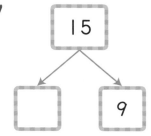

18
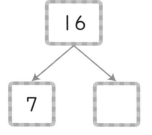

3. 19까지의 수를 모으기와 가르기

 모으기와 가르기를 하세요.

1
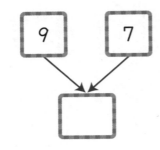

2
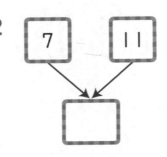

3
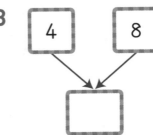

4
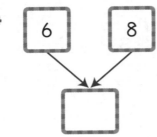

5
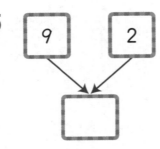

6
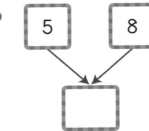

7
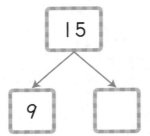

8
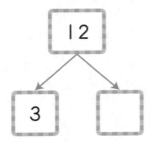

9
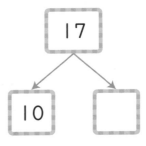

10
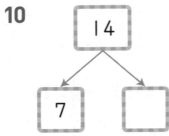

11
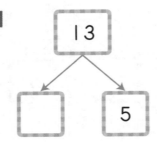

12
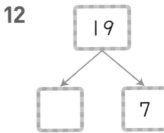

🐙 모아서 가운데에 쓰인 수가 되는 두 수를 찾아 ○표 하세요.

13

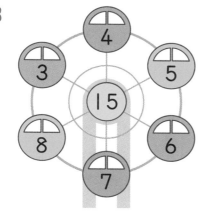

14

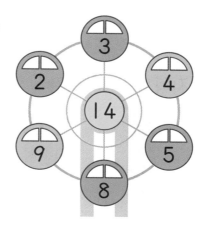

15

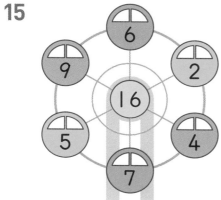

16

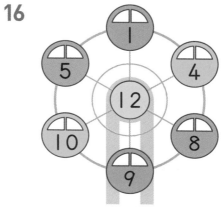

💡 **생활 속 연산**

배추 12포기로 김치를 만들어 통 2개에 나누어 담으려고 합니다. 배추 12포기를 수진이와 다른 방법으로 가르기 하여 담아 보세요.

난 한 통에 3포기를 담고, 나머지 통에 9포기를 담았어.

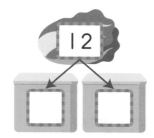

◎ 4단계 50까지의 수

4. 50까지의 수를 10개씩 묶어 세기

● 50까지의 수 쓰고 읽기

쓰기	20	30	40	50
읽기	이십	삼십	사십	오십
	스물	서른	마흔	쉰

> 10개씩 묶음 ★개를 ★0이라고 해!

🐙 그림을 보고 ☐ 안에 알맞은 수를 써넣으세요.

1 → 40

2 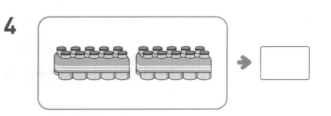 → ☐

3 → ☐

4 → ☐

5 → ☐

6 → ☐

🐙 빈 곳에 알맞은 수를 써넣으세요.

7

10개씩 묶음	2

➡ ◯

8

◯ 50 ➡ | 10개씩
묶음 | |
|---|---|

9

10개씩 묶음	5

➡ ◯

10

◯ 30 ➡ | 10개씩
묶음 | |
|---|---|

11

10개씩 묶음	4

➡ ◯

12

◯ 20 ➡ | 10개씩
묶음 | |
|---|---|

13

10개씩 묶음	1

➡ ◯

14

◯ 40 ➡ | 10개씩
묶음 | |
|---|---|

15

10개씩 묶음	3

➡ ◯

16

◯ 10 ➡ | 10개씩
묶음 | |
|---|---|

DAY 11

4단계 50까지의 수

4. 50까지의 수를 10개씩 묶어 세기

 10개씩 묶고 빈칸에 알맞은 수를 써넣으세요.

1

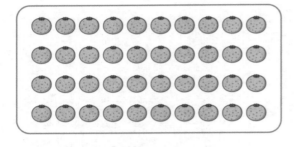

10개씩 묶음		➡	

2

10개씩 묶음		➡	

3

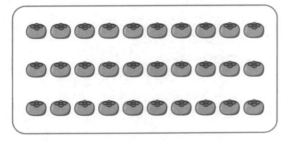

10개씩 묶음		➡	

4

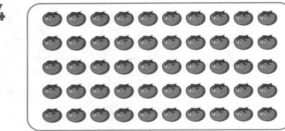

10개씩 묶음		➡	

5

10개씩 묶음		➡	

6

10개씩 묶음		➡	

🐙 수를 세어 쓰고 두 가지 방법으로 읽어 보세요.

7

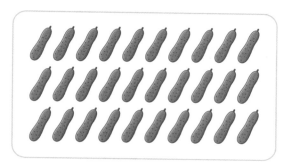

쓰기		
읽기		

8

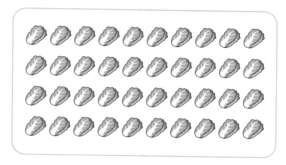

쓰기		
읽기		

9

쓰기		
읽기		

10

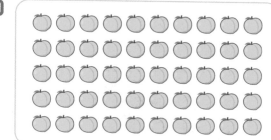

쓰기		
읽기		

11

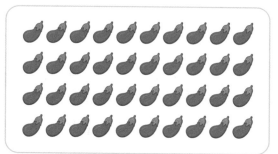

쓰기		
읽기		

12

쓰기		
읽기		

4. 50까지의 수를 10개씩 묶어 세기

🐙 10개씩 묶어 수를 세어 쓰고 두 가지 방법으로 읽어 보세요.

1

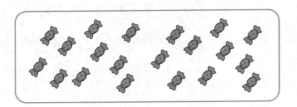

쓰기	
읽기	

2

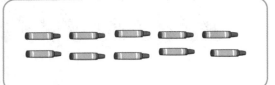

쓰기	
읽기	

3

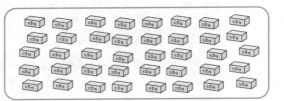

쓰기	
읽기	

4

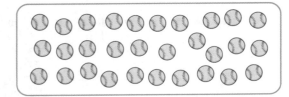

쓰기	
읽기	

5

쓰기	
읽기	

6

쓰기	
읽기	

🐙 수를 다르게 나타낸 것을 찾아 색칠하세요.

7

8

9

10

11

12

💡 **생활 속 연산**

석민이네 반 학생들은 체험 학습에 가기 위해 10명씩 버스 3대에 나누어 탔습니다. 체험 학습에 가는 학생은 모두 몇 명인지 구하세요.

(   )명

🎯 4단계 50까지의 수

5. 50까지의 수

예 26을 쓰고 읽기

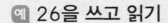

10개씩 묶음	2
낱개	6

쓰기	읽기
26	이십육, 스물여섯

🐙 수를 세어 ☐ 안에 알맞은 수를 써넣으세요.

1

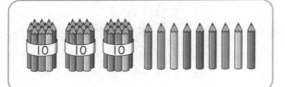

10개씩 묶음	3
낱개	9

→ 39

39는 삼십구 또는 서른아홉이라고 읽어.

2

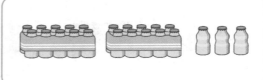

10개씩 묶음	
낱개	

→ ☐

3

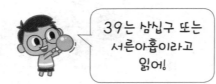

10개씩 묶음	
낱개	

→ ☐

4

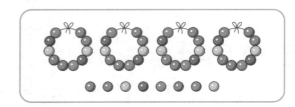

10개씩 묶음	
낱개	

→ ☐

🐙 빈 곳에 알맞은 수를 써넣으세요.

5

10개씩 묶음	3
낱개	2

➡ ◯

6

㉔ ➡

10개씩 묶음	
낱개	

7

10개씩 묶음	4
낱개	5

➡ ◯

8

⑯ ➡

10개씩 묶음	
낱개	

9

10개씩 묶음	2
낱개	8

➡ ◯

10

㊹ ➡

10개씩 묶음	
낱개	

11

10개씩 묶음	1
낱개	4

➡ ◯

12

㊲ ➡

10개씩 묶음	
낱개	

13

10개씩 묶음	4
낱개	7

➡ ◯

14

㉙ ➡

10개씩 묶음	
낱개	

5. 50까지의 수

🐙 색연필을 10자루씩 묶고, 모두 몇 자루인지 빈칸에 알맞은 수를 써넣으세요.

1

10개씩 묶음	
낱개	

➡ [ ]

2

10개씩 묶음	
낱개	

➡ [ ]

3

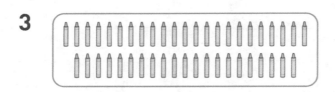

10개씩 묶음	
낱개	

➡ [ ]

4

10개씩 묶음	
낱개	

➡ [ ]

5

10개씩 묶음	
낱개	

➡ [ ]

6

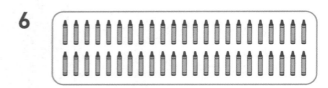

10개씩 묶음	
낱개	

➡ [ ]

7

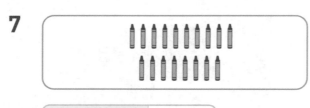

10개씩 묶음	
낱개	

➡ [ ]

8

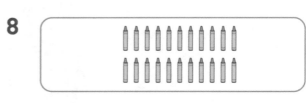

10개씩 묶음	
낱개	

➡ [ ]

🐙 수로 나타내고 두 가지 방법으로 읽어 보세요.

9

10개씩 묶음 3개와 낱개 6개

쓰기	
읽기	

10

10개씩 묶음 4개와 낱개 9개

쓰기	
읽기	

11

10개씩 묶음 2개와 낱개 4개

쓰기	
읽기	

12

10개씩 묶음 3개와 낱개 2개

쓰기	
읽기	

13

10개씩 묶음 1개와 낱개 5개

쓰기	
읽기	

14

10개씩 묶음 4개와 낱개 7개

쓰기	
읽기	

15

10개씩 묶음 2개와 낱개 8개

쓰기	
읽기	

16

10개씩 묶음 3개와 낱개 1개

쓰기	
읽기	

🎯 4단계 50까지의 수

5. 50까지의 수

🐙 수를 세어 쓰고 두 가지 방법으로 읽어 보세요.

1

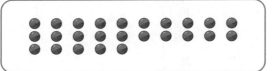

쓰기		
읽기		

2

쓰기		
읽기		

3

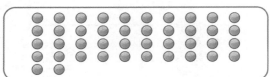

쓰기		
읽기		

4

쓰기		
읽기		

5

쓰기		
읽기		

6

쓰기		
읽기		

7

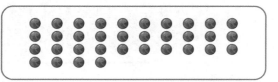

쓰기		
읽기		

8

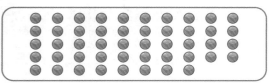

쓰기		
읽기		

🐙 수를 두 가지 방법으로 읽어 보세요.

9

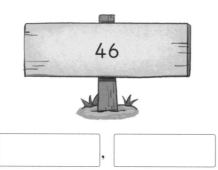

☐☐☐☐☐ , ☐☐☐☐☐

10

☐☐☐☐☐ , ☐☐☐☐☐

11

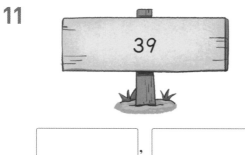

☐☐☐☐☐ , ☐☐☐☐☐

12

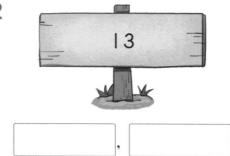

☐☐☐☐☐ , ☐☐☐☐☐

13

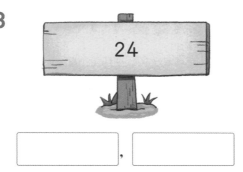

☐☐☐☐☐ , ☐☐☐☐☐

14

☐☐☐☐☐ , ☐☐☐☐☐

15

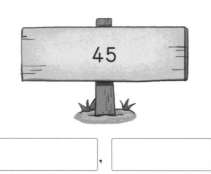

☐☐☐☐☐ , ☐☐☐☐☐

16

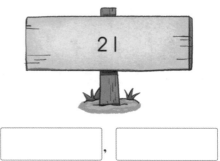

☐☐☐☐☐ , ☐☐☐☐☐

◎ 4단계 50까지의 수

5. 50까지의 수

🐙 수를 세어 쓰고 두 가지 방법으로 읽어 보세요.

1

쓰기		
읽기		

2
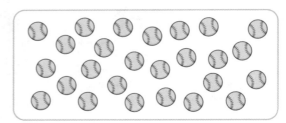

쓰기		
읽기		

3
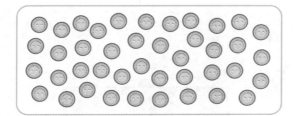

쓰기		
읽기		

4

쓰기		
읽기		

5
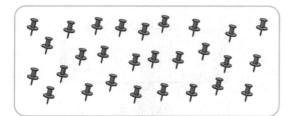

쓰기		
읽기		

6
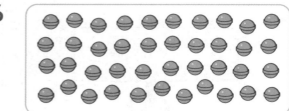

쓰기		
읽기		

🐙 수수깡의 수를 바르게 나타낸 카드에 ◯표 하세요.

7

28   이십육   스물일곱

8
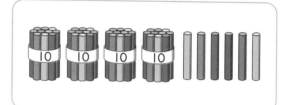

36   사십육   마흔육

9
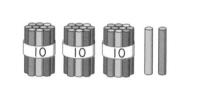

32   사십이   서른셋

10
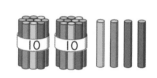

42   이십삼   스물넷

💡 **생활 속 연산**

민희는 새 학년을 맞이해 공책 10권씩 묶음 3개와 낱개로 4권을 샀습니다. 민희가 산 공책은 모두 몇 권인지 구하세요.

(   )권

◎ 4단계 50까지의 수

6. 50까지의 수의 순서

● 수의 순서

1	2	3	4	5	6	7	8	9	10
11	12	13	14	15	16	17	18	19	20
21	22	23	24	25	26	27	28	29	30
31	32	33	34	35	36	37	38	39	40
41	42	43	44	45	46	47	48	49	50

1씩 커집니다.

🐙 빈칸에 알맞은 수를 써넣으세요.

1 6 — 7 — 8

2 11 — ☐ — 13

3 17 — 18 — ☐

4 22 — ☐ — 24

5 24 — 25 — ☐

6 28 — ☐ — 30

7 32 — 33 — ☐

8 37 — ☐ — 39

순서에 알맞게 수를 써넣으세요.

9

| 1 | 2 | | 4 | | | 7 |

10

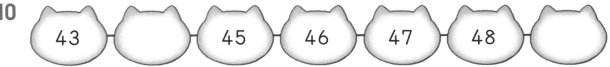

| 43 | | 45 | 46 | 47 | 48 | |

11

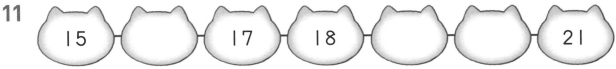

| 15 | | 17 | 18 | | | 21 |

12

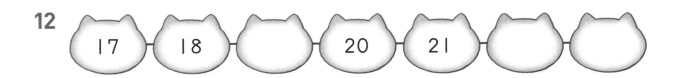

| 17 | 18 | | 20 | 21 | | |

13

| 25 | | 27 | 28 | 29 | | |

14

| | 35 | 36 | | 38 | | 40 |

◎ 4단계 50까지의 수

6. 50까지의 수의 순서

🐙 ☐ 안에 알맞은 수를 써넣으세요.

1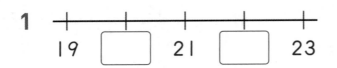

2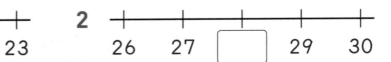

3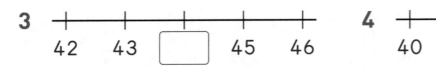

4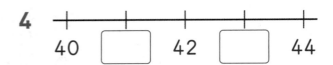

5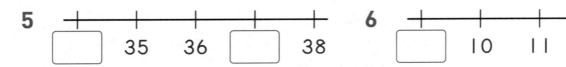

6

7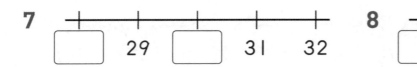

8

9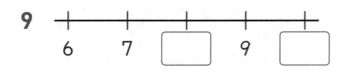

10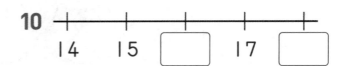

순서에 알맞게 수를 써넣으세요.

11

| 8 | 9 | | 11 | | |

12

| | 15 | | | 18 | 19 |

13

| 20 | | 22 | 23 | | |

14

| 37 | 38 | | | 41 | |

15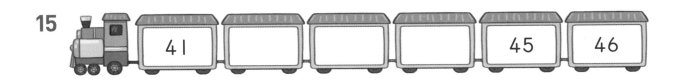

| 41 | | | | 45 | 46 |

16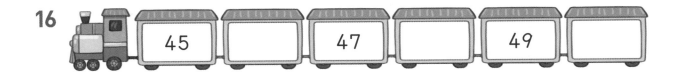

| 45 | | 47 | | 49 | |

6. 50까지의 수의 순서

순서를 생각하며 빈칸에 알맞은 수를 써넣으세요.

1

1	2	3	4	
6		8	9	10
	12	13	14	15
16	17		19	20
	22	23	24	

2

17	18	19		21
22	23		25	26
27	28		30	31
32		34		36
	38	39	40	41

3

	16	17	18	19
20	21	22		24
25	26		28	29
30		32	33	34
	36	37	38	

4

9		11	12	13
14	15	16		18
19	20		22	23
24	25		27	28
	30	31	32	

5

5	6	7		9
	11	12	13	14
15	16		18	19
20		22	23	
		27	28	29

6

26	27	28		30
	32	33	34	35
36		38	39	40
41	42		44	45
46	47		49	

무당벌레에 적혀 있는 수를 순서대로 ○ 안에 써넣으세요.

7

26 24 27 25 28

(24)—( )—( )—( )—( )

8

37 36 39 35 38

(35)—( )—( )—( )—( )

9

17 19 21 20 18

(17)—( )—( )—( )—( )

10

10 13 12 11 9

(9)—( )—( )—( )—( )

11

29 32 31 28 30

(28)—( )—( )—( )—( )

12

49 46 50 47 48

(46)—( )—( )—( )—( )

생활 속 연산

지수네 반 사물함의 번호가 지워져 보이지 않습니다. 지수의 사물함 번호가 25번일 때 지워진 사물함 번호를 써넣고, 지수의 사물함을 찾아 ○표 하세요.

1	2		4	5	6	7	8	9	
11		13	14			17	18	19	
	22	23			26	27		29	30

DAY 20

4단계 50까지의 수

7. 50까지의 수의 크기 비교

예 15와 23의 크기 비교

→ 15는 23보다 작습니다.
23은 15보다 큽니다.

10개씩 묶음이
적을수록 작은 수야!

그림을 보고 알맞은 말에 ◯표 하세요.

1

| 45 | 38 |

45는 38보다 (큽니다 , 작습니다).

2

| 27 | 37 |

27은 37보다 (큽니다 , 작습니다).

3

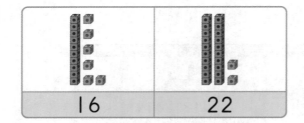

16은 22보다 (큽니다 , 작습니다).

4

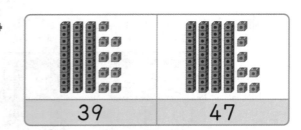

39는 47보다 (큽니다 , 작습니다).

🐙 더 작은 수에 △표 하세요.

5
| 45 | 28 |

6
| 36 | 42 |

7
| 32 | 19 |

8
| 46 | 27 |

9
| 39 | 41 |

10
| 25 | 37 |

11
| 26 | 43 |

12
| 15 | 38 |

13
| 34 | 22 |

14
| 49 | 35 |

15
| 25 | 17 |

16
| 33 | 11 |

◎ 4단계 50까지의 수

7. 50까지의 수의 크기 비교

● 22와 24의 크기 비교

→ 24는 22보다 큽니다.
　 22는 24보다 작습니다.

10개씩 묶음이 같으면
낱개의 개수를 비교해 보자!

🐙 그림을 보고 알맞은 말에 ◯표 하세요.

1

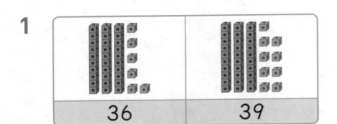

| 36 | 39 |

36은 39보다 (큽니다 , (작습니다)).

2

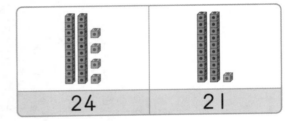

| 24 | 21 |

24는 21보다 (큽니다 , 작습니다).

3

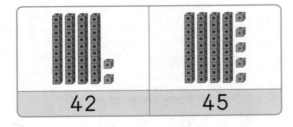

| 42 | 45 |

42는 45보다 (큽니다 , 작습니다).

4

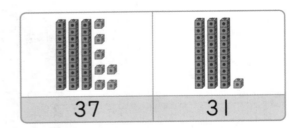

| 37 | 31 |

37은 31보다 (큽니다 , 작습니다).

더 큰 수에 ○표 하세요.

5

| 34 | 38 |

6

| 25 | 26 |

7

| 39 | 36 |

8

| 45 | 43 |

9

| 21 | 23 |

10

| 37 | 32 |

11

| 42 | 49 |

12

| 31 | 35 |

13

| 27 | 22 |

14

| 43 | 40 |

15

| 31 | 35 |

16

| 47 | 46 |

7. 50까지의 수의 크기 비교

🐙 그림을 보고 더 큰 수에 ○표 하세요.

1

| | 24 |
| | 31 |

2

| | 42 |
| | 45 |

3

| | 27 |
| | 25 |

4

| | 26 |
| | 42 |

5

| | 47 |
| | 44 |

6

| | 43 |
| | 39 |

7

| | 26 |
| | 30 |

8

| | 35 |
| | 32 |

🐙 더 큰 수에 색칠하세요.

9

25　32

10

36　31

11

47　43

12

41　29

13

27　35

14

22　28

15

34　30

16
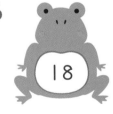
18　24

17

39　49

18

44　42

7. 50까지의 수의 크기 비교

🐙 더 작은 수에 △표 하세요.

1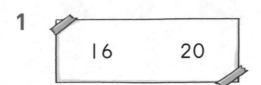
16   20

2
34   31

3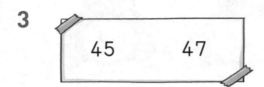
45   47

4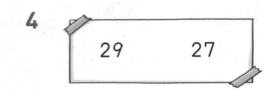
29   27

5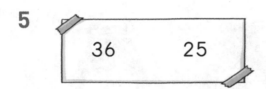
36   25

6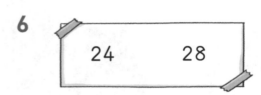
24   28

7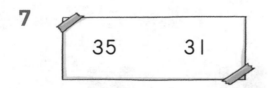
35   31

8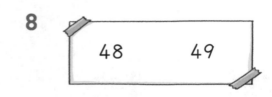
48   49

9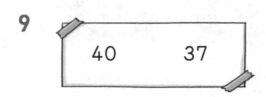
40   37

10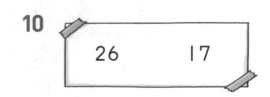
26   17

11
41   18

12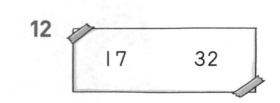
17   32

🐙 가장 작은 수에 △표 하세요.

13

14

15
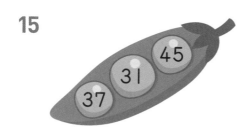

16

17

18
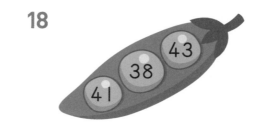

19
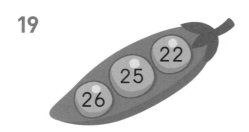

20

💡 생활 속 연산

희진이네 반과 선욱이네 반이 소풍을 가서 찍은 단체 사진입니다. 누구네 반 학생이 더 많은지 구하세요.

(　　　　　　　　)이네 반

희진이네 반

선욱이네 반

4단계 50까지의 수

마무리 연산

🐙 수로 나타내고 두 가지 방법으로 읽어 보세요.

1

10개씩 묶음 1개와 낱개 7개

쓰기		
읽기		

2

10개씩 묶음 3개

쓰기		
읽기		

3

10개씩 묶음 2개와 낱개 4개

쓰기		
읽기		

4

10개씩 묶음 4개와 낱개 2개

쓰기		
읽기		

5

10개씩 묶음 5개

쓰기		
읽기		

6

10개씩 묶음 2개와 낱개 9개

쓰기		
읽기		

7

10개씩 묶음 3개와 낱개 5개

쓰기		
읽기		

8

10개씩 묶음 1개와 낱개 3개

쓰기		
읽기		

🐙 모으기와 가르기를 하세요.

9
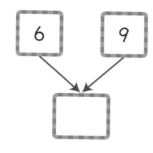

10
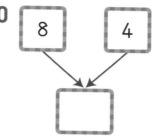

11
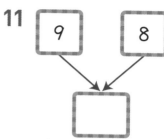

12
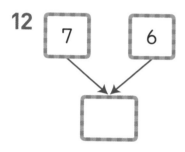

13
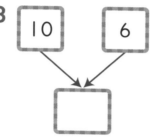

14
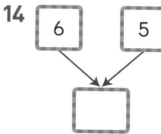

15
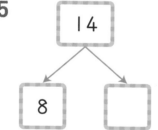

16
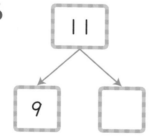

17
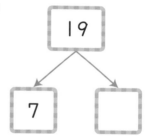

18
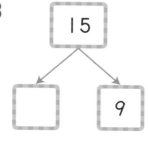

19
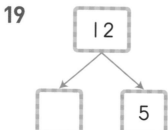

20
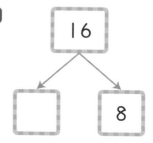

🎯 4단계 50까지의 수

마무리 연산

🐙 순서에 알맞게 빈칸에 수를 써넣으세요.

1 | 12 | 13 | ☐ | 15 | ☐ | 17 |

2 | 30 | ☐ | 32 | 33 | ☐ | 35 |

3 | 18 | 19 | ☐ | 21 | ☐ | 23 |

4 | ☐ | 25 | ☐ | 27 | 28 | 29 |

5 | 45 | ☐ | 47 | 48 | 49 | ☐ |

6 | 38 | 39 | ☐ | 41 | 42 | ☐ |

7 | 8 | ☐ | ☐ | 11 | 12 | 13 |

8 | 27 | ☐ | 29 | ☐ | 31 | 32 |

🐙 더 큰 수에 ◯표 하세요.

9
26　　24

10
12　　34

11
40　　50

12
29　　21

13
35　　44

14
19　　21

15
46　　42

16
23　　28

17
19　　27

18
45　　38

19
30　　22

20
49　　33

힘수 연산으로 **수학** 기초 체력 UP!

이제 정답을
확인하러 가 볼까?

힘이 붙는 **수학** 연산

정답

초등 1A

금성출판사

차례

정답

초등 1A

하나 둘!
하나 둘!

🎯1단계 9까지의 수

1. 5까지의 수

1 예

2 예

3 예

4

5 예

6 예

7 예

8 예

9 예

10

11 예

12 예

13

14 예

15 예

16 예

1. 5까지의 수

1 3에 ○표		**2** 2에 ○표	
3 l에 ○표		**4** 5에 ○표	
5 2에 ○표		**6** 4에 ○표	
7 3에 ○표		**8** 5에 ○표	
9 4	**10** 2	**11** 5
12 3	**13** l	**14** 4
15 3	**16** 2	**17** 5
18 3		

1. 5까지의 수

1 예

2 예

3

4 예

5 예

6 예

7 예

8

9 예

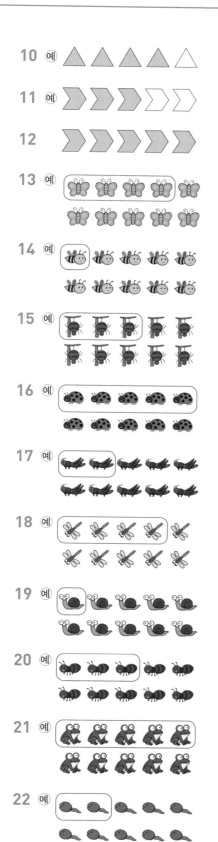

1. 5까지의 수

1 3	2 4	3 5
4 2	5 1	6 3
7 5	8 2	9 넷, 사
10 하나, 일	11 다섯, 오	12 둘, 이
13 4, 넷, 사	14 2, 둘, 이	15 3, 셋, 삼
16 1, 하나, 일	17 5, 다섯, 오	18 3, 셋, 삼

생활 속 연산 5, 3, 4

2. 9까지의 수, 0

1 (예)

2 (예)

3 (예)

4 (예)

5 (예)

6 (예)

7 (예)

8 예

9 예

10 예

11 예

12 예

13 예

14 예

DAY 06

18~19쪽

2. 9까지의 수, 0

1	7에 ○표		2	6에 ○표
3	8에 ○표		4	9에 ○표
5	7에 ○표		6	6에 ○표
7	0에 ○표		8	8에 ○표

9	9	10	7	11	6
12	8	13	7	14	0
15	8	16	9	17	9
18	6				

DAY 07

20~21쪽

2. 9까지의 수, 0

1 예

2

3 예

4 예

5 예

6 예

7 예

8 예

9

10 예

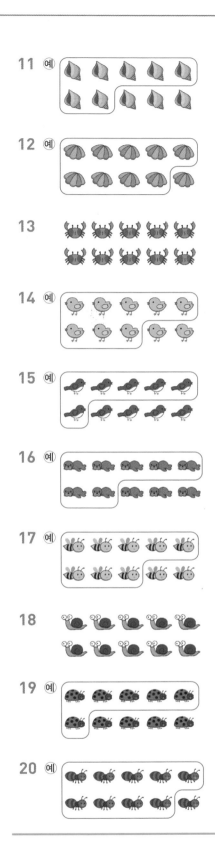

11 예

12 예

13

14 예

15 예

16 예

17 예

18

19 예

20 예

2. 9까지의 수, 0

1 9	2 여덟, 팔	3 6
4 아홉, 구	5 8	6 여섯, 육
7 8	8 일곱, 칠	9 0
10 다섯, 오	11 9	12 영
13 6, 여섯, 육	14 8, 여덟, 팔	15 9, 아홉, 구
16 0, 영	17 7, 일곱, 칠	18 5, 다섯, 오

생활 속 연산 8, 6, 7

3. 9까지의 수의 순서

1 2, 4	2 5, 7	3 6, 7
4 3, 5	5 6, 8	6 5, 6
7 5, 9	8 5, 6	9 4, 7
10 3, 5	11 4, 5, 6, 7	12 4, 6, 7, 8
13 3, 5	14 5, 6, 8	15 2, 4, 6
16 6, 7, 8		

3. 9까지의 수의 순서

1

2

3

4

5

6 🍪🍪🍪🍪🍪🍪🍪(🍪)🍪

7 넷째, 여덟째

8 여섯째, 아홉째

9 셋째, 다섯째

10 넷째, 일곱째

11 다섯째, 일곱째

12 셋째, 여섯째

DAY 11 28~29쪽

3. 9까지의 수의 순서

1

2

3

4

5 9	**6** 5	**7** 3	**8** 3
9 7	**10** 2	**11** 2	**12** 9
13 8	**14** 3	**15** 2	**16** 7

DAY 12 30~31쪽

3. 9까지의 수의 순서

1 6, 5, 2

2 4, 3, 1

3 여덟째, 다섯째

4 여섯째, 다섯째, 첫째

5 7, 3

---

6 일곱째

7 첫째

8 5

9 아홉째

10 3

9

7

셋째

다섯째

1

생활 속 연산

DAY 13 32~33쪽

4. 1만큼 더 큰 수와 1만큼 더 작은 수

1 4	**2** 9	**3** 8
4 5	**5** 7	**6** 3
7 4	**8** 2	

9 ( ) (○) ( ) ( )

10 (○) ( ) ( ) ( )

11 (○) ( ) ( ) ( )

12 ( ) (○) ( ) ( )

13 ( ) (○) ( ) ( )

DAY 14 34~35쪽

4. 1만큼 더 큰 수와 1만큼 더 작은 수

1 4	**2** 2	**3** 5
4 8	**5** 1	**6** 6
7 7	**8** 3	

9 (　　) (△) (　　) (　　)
10 (　　) (　　) (　　) (△)
11 (　　) (△) (　　) (　　)
12 (△) (　　) (　　) (　　)
13 (　　) (　　) (　　) (△)

4 3	5 6	6 1
7 9	8 6	9 4
10 5	11 5, 7	12 3, 5
13 1, 3	14 6, 8	15 7, 9
16 2, 4	17 4, 6	18 0, 2

생활 속 연산 6

DAY 15　　36~37쪽
4. 1만큼 더 큰 수와 1만큼 더 작은 수

1 ○○○○○○○○
2 ○○○○○○○
3 ○○○○○
4 ○○○○
5 ○○
6 ○○○○○○
7 ○○○○○○○○
8 ○○○○○○
9 ○○○○○○
10 ○○○○○

11 2, 3	12 3, 4	13 3, 4
14 5, 6	15 6, 7	16 7, 8
17 7, 8	18 2, 3	19 5, 6
20 1, 2		

DAY 16　　38~39쪽
4. 1만큼 더 큰 수와 1만큼 더 작은 수

1 7　　2 7　　3 5

DAY 17　　40~41쪽
5. 9까지의 수의 크기 비교

1 작습니다에 ○표　　2 큽니다에 ○표
3 큽니다에 ○표　　4 작습니다에 ○표
5 큽니다에 ○표　　6 작습니다에 ○표

7 작습니다에 ○표

8 작습니다에 ○표

9 큽니다에 ○표

10 작습니다에 ○표

11 큽니다에 ○표

5. 9까지의 수의 크기 비교

1 5에 ○표	2 7에 ○표
3 3에 ○표	4 8에 ○표
5 6에 ○표	6 9에 ○표
7 4에 ○표	8 8에 ○표
9 7에 ○표	10 6에 ○표
11 5에 ○표	12 8에 ○표
13 3에 ○표	14 7에 ○표
15 6에 ○표	16 9에 ○표
17 7에 ○표	18 4에 ○표
19 8에 ○표	20 6에 ○표
21 2에 ○표	22 3에 ○표

5. 9까지의 수의 크기 비교

1 3에 △표	2 6에 △표
3 2에 △표	4 4에 △표
5 8에 △표	6 7에 △표
7 5에 △표	8 6에 △표
9 2에 △표	10 1에 △표
11 4에 △표	12 6에 △표
13 8에 △표	14 3에 △표
15 7에 △표	16 2에 △표
17 5에 △표	18 2에 △표
19 6에 △표	20 4에 △표
21 2에 △표	22 1에 △표

5. 9까지의 수의 크기 비교

1 8, 9	2 1, 2, 3
3 6, 7, 8, 9	4 1, 2, 3, 4, 5
5 4, 5, 6, 7, 8, 9	6 1, 2, 3, 4, 5, 6
7 7, 8, 9	8 1, 2, 3, 4
9 9	10 1
11 8에 ○표, 6에 △표	12 5에 ○표, 2에 △표
13 7에 ○표, 4에 △표	14 9에 ○표, 3에 △표
15 6에 ○표, 1에 △표	16 4에 ○표, 1에 △표

생활 속 연산 파란색

마무리 연산

1 1	2 5	3 7
4 6	5 2	6 9
7 8	8 4	

9 이에 ○표	10 셋에 ○표
11 구에 ○표	12 다섯에 ○표
13 칠에 ○표	14 일에 ○표
15 여덟에 ○표	16 사에 ○표
17 2, 5, 6, 8	18 넷, 다섯, 여섯, 일곱
19 7, 5, 4, 3	20 넷, 여섯, 여덟
21 8, 6, 5, 3	22 둘, 셋, 다섯, 일곱

DAY 22

마무리 연산

1 3, 5	2 2, 4	3 0, 2
4 6, 8	5 4, 6	6 5, 7
7 1, 3	8 7, 9	9 2, 4
10 3, 5		

11 7에 ○표, 3에 △표   12 8에 ○표, 2에 △표

13 9에 ○표, 1에 △표   14 8에 ○표, 5에 △표

15 5에 ○표, 1에 △표   16 8에 ○표, 4에 △표

17 9에 ○표, 4에 △표   18 9에 ○표, 6에 △표

19 5에 ○표, 2에 △표   20 8에 ○표, 4에 △표

🎯 2단계   9까지의 수를 모으기, 가르기

DAY 01

1. 9까지의 수를 모으기

1 6	2 8	3 7
4 8	5 9	6 7
7 5	8 4	9 9
10 7	11 4	12 9
13 8	14 3	15 6
16 7	17 2	18 9

DAY 02

1. 9까지의 수를 모으기

1 ○○○ , 3   2 ○○○○ / ○○○○ , 8

3 ○○○○○ / ○○○○ , 9   4 ○○○○○ , 5

5 ○○○○ , 4   6 ○○○○ / ○○○ , 7

7 ○○○○○ / ○○○○ , 9   8 ○○○ / ○○○ , 6

9 8	10 6	11 5
12 7	13 4	14 9
15 3	16 8	17 7
18 6	19 2	20 5

DAY 03 58~59쪽
1. 9까지의 수를 모으기

1 2, 3 / 5	2 5, 2 / 7	3 3, 3 / 6
4 1, 2 / 3	5 5, 3 / 8	6 3, 4 / 7
7 2, 7 / 9	8 3, 1 / 4	9 4
10 8	11 6	12 9
13 7	14 3	15 8
16 5	17 9	18 9
19 7	20 8	21 6
22 9	23 7	

DAY 04 60~61쪽
1. 9까지의 수를 모으기

1 3, 2 / 5	2 7, 2 / 9	3 3, 4 / 7
4 3, 1 / 4	5 2, 6 / 8	6 1, 2 / 3
7 4, 2 / 6	8 4, 5 / 9	9 7
10 9	11 5	12 7
13 6	14 2	15 8
16 5	17 9	18 7
19 4	20 7	

DAY 05 62~63쪽
2. 9까지의 수를 가르기

1 5	2 4	3 3
4 4	5 2	6 3
7 4	8 4	9 4
10 5	11 2	12 3

13 7	14 2	15 4
16 2	17 3	18 6

DAY 06 64~65쪽
2. 9까지의 수를 가르기

1 , 6   2 , 2
3 , 2   4 , 3
5 , 1   6 , 2
7 , 7   8 , 3

9 1	10 3	11 1
12 4	13 1	14 1
15 4	16 5	17 4
18 2	19 3	20 5

DAY 07 66~67쪽
2. 9까지의 수를 가르기

1 6 / 2, 4	2 9 / 6, 3	3 8 / 1, 7
4 4 / 3, 1	5 7 / 4, 3	6 5 / 2, 3
7 9 / 8, 1	8 8 / 6, 2	9 3
10 5	11 5	12 1
13 7	14 1	15 1
16 4	17 1	18 5
19 1	20 5	21 2
22 2	23 1	

DAY 08

2. 9까지의 수를 가르기

1 7 / 4, 3	2 5 / 1, 4	3 7 / 5, 2
4 6 / 3, 3	5 8 / 3, 5	6 3 / 2, 1
7 9 / 4, 5	8 4 / 3, 1	9 6
10 3	11 6	12 5
13 2	14 4	15 8
16 3	17 1	

생활 속 연산 3, 1

DAY 09

3. 여러 가지 방법으로 모으기와 가르기

1 5, 4, 3, 2   2 6, 4, 2, 1
3 6, 5, 4, 1   4 6, 5, 2, 1
5 4, 5, 4 / ( ) (×) ( )
6 8, 7, 7 / (×) ( ) ( )
7 9, 8, 9 / ( ) (×) ( )
8 6, 6, 8 / ( ) ( ) (×)
9 8, 6, 6 / (×) ( ) ( )

DAY 10

3. 여러 가지 방법으로 모으기와 가르기

1 예 1, 4 / 2, 3 / 3, 2
2 예 1, 7 / 2, 6 / 3, 5
3 예 1, 8 / 2, 7 / 3, 6
4 (위에서부터) 1, 3, 2   5 (위에서부터) 5, 6, 1
6 (위에서부터) 3, 5, 2   7 (위에서부터) 3, 5, 8
8 (위에서부터) 4, 2, 1   9 (위에서부터) 3, 2, 1

생활 속 연산 예 2, 4 / 3, 3

DAY 11

마무리 연산

1 5	2 9	3 8
4 4	5 7	6 6
7 3	8 8	9 7
10 9	11 6	12 9
13 5	14 8	15 7
16 3	17 5	18 2
19 5	20 4	21 1
22 1	23 3	24 2
25 3	26 6	27 3
28 4	29 4	30 4

DAY 12

마무리 연산

1 예 1, 5 / 2, 4 / 3, 3
2 예 1, 7 / 2, 6 / 3, 5
3 예 1, 4 / 2, 3 / 3, 2
4 예 1, 6 / 2, 5 / 3, 4
5 예 1, 8 / 2, 7 / 3, 6
6 (왼쪽에서부터) 6, 2, 4 7 (왼쪽에서부터) 2, 4, 6
8 (왼쪽에서부터) 4, 7, 5 9 (왼쪽에서부터) 4, 3, 5
10 (왼쪽에서부터) 4, 2, 1 11 (왼쪽에서부터) 7, 3, 2
12 (왼쪽에서부터) 3, 2, 1 13 (왼쪽에서부터) 3, 1, 4

1. 합이 9까지인 수의 덧셈

1 5	**2** 7	**3** 7
4 9	**5** 8	**6** 8

7 , 7

8 , 6

9 , 7

10 , 5

11 , 8

12 , 3

13 , 9

14 , 7

15 , 6

16 , 4

1. 합이 9까지인 수의 덧셈

1 3, 4, 7	**2** 6, 2, 8
3 2, 0, 2	**4** 8, 1, 9
5 3, 3, 6	**6** 1, 4, 5
7 7, 2, 9	**8** 1, 3, 4
9 0, 5, 5	**10** 5, 3, 8
11 5 / 3, 2, 5	**12** 2 / 1, 1, 2
13 8 / 3, 5, 8	**14** 8 / 1, 7, 8
15 7 / 5, 2, 7	**16** 8 / 4, 4, 8
17 6 / 0, 6, 6	**18** 6 / 5, 1, 6

1. 합이 9까지인 수의 덧셈

1 7	**2** 5	**3** 3
4 8	**5** 7	**6** 6
7 4	**8** 4	**9** 9
10 9	**11** 3	**12** 8
13 8	**14** 5	**15** 4
16 8	**17** 1	**18** 9
19 9	**20** 7	**21** 8
22 7	**23** 5	**24** 7
25 3	**26** 8	**27** 2
28 6	**29** 6	**30** 4
31 9	**32** 5	**33** 8

DAY 04
86~87쪽

1. 합이 9까지인 수의 덧셈

1	4	2	8	3	7
4	9	5	7	6	6
7	5	8	5	9	6
10	9	11	5	12	6
13	9	14	8	15	6
16	9	17	8	18	7
19	6	20	4	21	9
22	7	23	9	24	8
25	4	26	5	27	3
28	9	29	8	30	6

생활 속 연산 7

DAY 05
88~89쪽

2. 덧셈식에서 □ 구하기

1	5	2	6	3	4
4	3	5	1	6	4
7	5	8	3	9	7
10	2	11	3	12	4
13	2	14	5	15	1
16	2	17	4	18	8
19	6	20	1	21	6
22	1	23	3	24	1
25	7	26	1	27	5

DAY 06
90~91쪽

2. 덧셈식에서 □ 구하기

1	, 4	2	, 1
3	, 4	4	, 5
5	, 2	6	, 2
7	, 2	8	, 1
9	, 8	10	, 4

11	2	12	4	13	7
14	1	15	5	16	6

생활 속 연산 6, 6

DAY 07
92~93쪽

3. 한 자리 수의 뺄셈

1	4	2	6	3	6
4	5				

5 , 2

6 , 1

7 , 5

8 [grid] , 4

9 [grid] , 1

10 [grid] , 4

11 [grid] , 5

12 [grid] , 3

13 [grid] , 1

14 [grid] , 4

3. 한 자리 수의 뺄셈

1	2	2	5	3	2
4	3	5	4	6	0
7	2	8	1	9	3
10	9	11	2	12	8
13	1	14	4	15	5
16	7	17	0	18	1
19	1	20	2	21	3
22	3	23	0	24	2
25	5	26	2	27	2
28	8	29	5	30	3
31	1	32	1	33	3

3. 한 자리 수의 뺄셈

1	7, 2, 5	2	4, 1, 3
3	8, 5, 3	4	6, 1, 5
5	5, 0, 5	6	3, 2, 1
7	9, 3, 6	8	4, 4, 0
9	2 / 7, 5, 2	10	2 / 6, 4, 2
11	4 / 4, 0, 4	12	5 / 8, 3, 5
13	1 / 5, 4, 1	14	3 / 7, 4, 3
15	2 / 4, 2, 2	16	1 / 6, 5, 1

3. 한 자리 수의 뺄셈

1	5	2	4	3	4
4	5	5	4	6	2
7	4	8	1	9	2
10	8	11	2	12	6
13	0	14	3	15	0
16	3	17	3	18	1
19	3	20	0	21	1

22 8−2

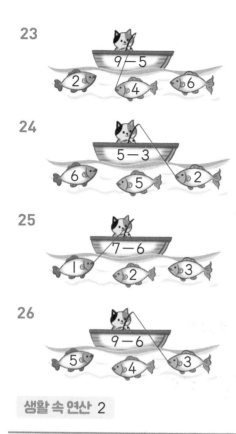

23

24

25

26

생활 속 연산 2

4. 뺄셈식에서 □ 구하기

1	l	2	6	3	3
4	9	5	3	6	5
7	4	8	3	9	6
10	l	11	6	12	5
13	7	14	8	15	4
16	3	17	7	18	4
19	5	20	2	21	2
22	5	23	9	24	2
25	3	26	5	27	8

4. 뺄셈식에서 □ 구하기

1 , l

2 , 8

3 , 6

4 , 7

5 , 3

6 , 8

7 , l

8 , 6

9	3	10	9	11	6
12	5	13	2	14	7
15	0	16	8		

생활 속 연산 3

마무리 연산

1	7	2	9	3	7
4	8	5	5	6	7
7	9	8	8	9	5
10	3	11	8	12	7
13	6	14	7	15	4
16	9	17	6	18	3

19	9	20	6	21	9
22	6	23	4	24	3
25	6	26	4	27	2
28	2	29	3	30	4
31	1	32	7	33	3
34	5	35	0	36	2
37	3	38	2	39	4
40	6	41	3	42	5

DAY 14 · 106~107쪽

마무리 연산

1	2	2	4	3	7
4	5	5	2	6	4
7	0	8	4	9	1
10	3	11	1	12	4
13	2	14	1	15	6
16	5	17	2	18	2
19	3	20	1	21	0
22	4	23	6	24	3
25	7	26	5	27	1
28	1	29	6	30	5
31	4	32	9	33	2
34	4	35	7	36	2
37	1	38	8	39	0
40	2	41	7	42	1

🎯 4단계 50까지의 수

DAY 01 · 110~111쪽

1. 9 다음 수

11	4	12	4	13	7
14	8	15	9	16	5
17	8	18	9		

DAY 02
112~113쪽

1. 9 다음 수

1 8	2 9	3 6
4 7	5 5	6 9
7 8	8 2	9 6
10 3	11 6	12 1
13 8	14 7	15 6
16 9	17 5	18 3
19 10	20 10	

DAY 03
114~115쪽

1. 9 다음 수

1 4	2 8	3 5
4 7	5 9	6 2
7 6	8 3	9 9
10 1	11 4	12 8
13 2, 8	14 4, 6	15 5, 5
16 9, 1	17 6, 4	18 3, 7

생활 속 연산 3

DAY 04
116~117쪽

2. 십몇

1 19	2 15	3 12
4 17	5 16	6 14
7 13	8 1, 8	9 16
10 1, 2	11 19	12 1, 7

13 18	14 1, 4	15 15
16 1, 1		

DAY 05
118~119쪽

2. 십몇

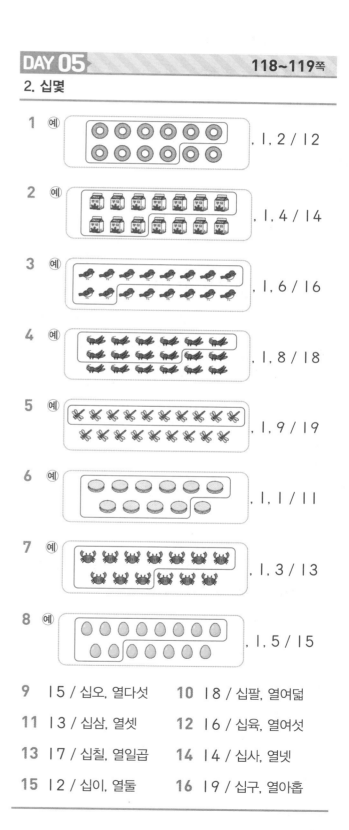

1 (예) , 1, 2 / 12

2 (예) , 1, 4 / 14

3 (예) , 1, 6 / 16

4 (예) , 1, 8 / 18

5 (예) , 1, 9 / 19

6 (예) , 1, 1 / 11

7 (예) , 1, 3 / 13

8 (예) , 1, 5 / 15

9 15 / 십오, 열다섯	10 18 / 십팔, 열여덟
11 13 / 십삼, 열셋	12 16 / 십육, 열여섯
13 17 / 십칠, 열일곱	14 14 / 십사, 열넷
15 12 / 십이, 열둘	16 19 / 십구, 열아홉

2. 십몇

1	12 / 십이, 열둘	**2**	14 / 십사, 열넷
3	18 / 십팔, 열여덟	**4**	15 / 십오, 열다섯
5	17 / 십칠, 열일곱	**6**	13 / 십삼, 열셋
7	16 / 십육, 열여섯	**8**	11 / 십일, 열하나

9	16	**10**	17	**11**	12
12	14	**13**	11	**14**	14

생활 속 연산 십구, 열아홉

3. 19까지의 수를 모으기와 가르기

1	15	**2**	13	**3**	14
4	11	**5**	16	**6**	18
7	12	**8**	19	**9**	16
10	13	**11**	14	**12**	18
13	15	**14**	11	**15**	17
16	14	**17**	12	**18**	16

3. 19까지의 수를 모으기와 가르기

1	7	**2**	4	**3**	8
4	7	**5**	9	**6**	7
7	6	**8**	8	**9**	10
10	11	**11**	5	**12**	8
13	5	**14**	8	**15**	6
16	6	**17**	6	**18**	9

3. 19까지의 수를 모으기와 가르기

1	16	**2**	18	**3**	12
4	14	**5**	11	**6**	13
7	6	**8**	9	**9**	7
10	7	**11**	8	**12**	12
13	7, 8에 ○표		**14**	9, 5에 ○표	
15	9, 7에 ○표		**16**	8, 4에 ○표	

생활 속 연산 예 5, 7

4. 50까지의 수를 10개씩 묶어 세기

1	40	**2**	30	**3**	50
4	20	**5**	40	**6**	50
7	20	**8**	5	**9**	50
10	3	**11**	40	**12**	2
13	10	**14**	4	**15**	30
16	1				

4. 50까지의 수를 10개씩 묶어 세기

1 예 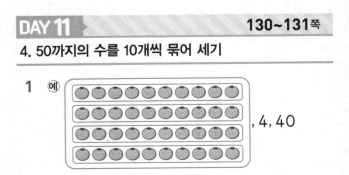 , 4, 40

2 예
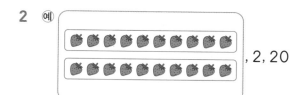
, 2, 20

3 예
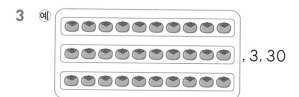
, 3, 30

4 예
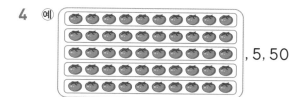
, 5, 50

5 예
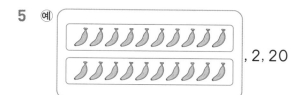
, 2, 20

6 예
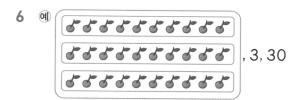
, 3, 30

7 30 / 삼십, 서른 　　**8** 40 / 사십, 마흔

9 20 / 이십, 스물 　　**10** 50 / 오십, 쉰

11 40 / 사십, 마흔 　　**12** 30 / 삼십, 서른

DAY 12 　　　　　　　　　　　**132~133쪽**

4. 50까지의 수를 10개씩 묶어 세기

1 예

, 20 /
이십, 스물

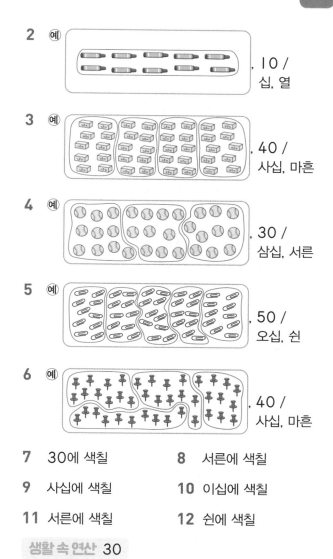

2 예 , 10 /
십, 열

3 예 , 40 /
사십, 마흔

4 예 , 30 /
삼십, 서른

5 예 , 50 /
오십, 쉰

6 예 , 40 /
사십, 마흔

7 30에 색칠 　　**8** 서른에 색칠

9 사십에 색칠 　　**10** 이십에 색칠

11 서른에 색칠 　　**12** 쉰에 색칠

생활 속 연산 30

DAY 13 　　　　　　　　　　　**134~135쪽**

5. 50까지의 수

1 3, 9 / 39 　　　　**2** 2, 3 / 23

3 1, 7 / 17 　　　　**4** 4, 8 / 48

5 32 　　**6** 2, 4 　　**7** 45

8 1, 6 　　**9** 28 　　**10** 4, 4

11 14 　　**12** 3, 7 　　**13** 47

14 2, 9

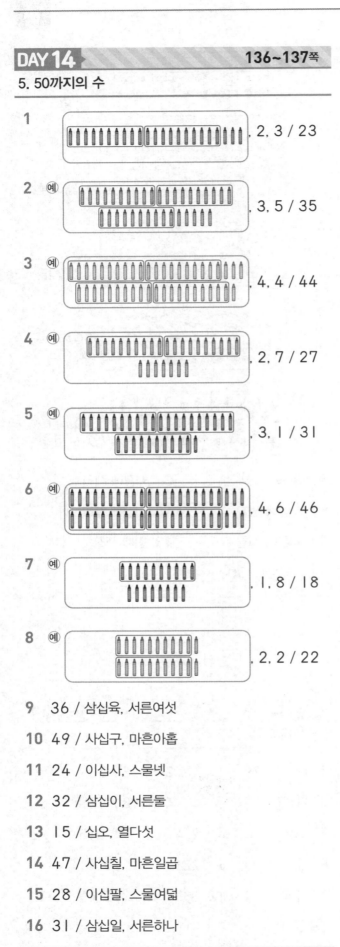

1 2, 3 / 23

2 예 3, 5 / 35

3 예 4, 4 / 44

4 예 2, 7 / 27

5 예 3, 1 / 31

6 예 4, 6 / 46

7 예 1, 8 / 18

8 예 2, 2 / 22

9 36 / 삼십육, 서른여섯

10 49 / 사십구, 마흔아홉

11 24 / 이십사, 스물넷

12 32 / 삼십이, 서른둘

13 15 / 십오, 열다섯

14 47 / 사십칠, 마흔일곱

15 28 / 이십팔, 스물여덟

16 31 / 삼십일, 서른하나

1 25 / 이십오, 스물다섯

2 33 / 삼십삼, 서른셋

3 42 / 사십이, 마흔둘

4 27 / 이십칠, 스물일곱

5 29 / 이십구, 스물아홉

6 16 / 십육, 열여섯

7 34 / 삼십사, 서른넷

8 48 / 사십팔, 마흔여덟

9 사십육, 마흔여섯   **10** 이십이, 스물둘

11 삼십구, 서른아홉   **12** 십삼, 열셋

13 이십사, 스물넷   **14** 삼십칠, 서른일곱

15 사십오, 마흔다섯   **16** 이십일, 스물하나

1 12 / 십이, 열둘

2 26 / 이십육, 스물여섯

3 42 / 사십이, 마흔둘

4 35 / 삼십오, 서른다섯

5 28 / 이십팔, 스물여덟

6 41 / 사십일, 마흔하나

7 스물일곱에 ○표   **8** 사십육에 ○표

9 32에 ○표   **10** 스물넷에 ○표

생활 속 연산 34

DAY 17 142~143쪽

6. 50까지의 수의 순서

1 8   **2** 12   **3** 19

4 23   **5** 26   **6** 29

7 34   **8** 38   **9** 3, 5, 6

10 44, 49   **11** 16, 19, 20

12 19, 22, 23   **13** 26, 30, 31

14 34, 37, 39

DAY 18 144~145쪽

6. 50까지의 수의 순서

1 20, 22   **2** 28

3 44   **4** 41, 43

5 34, 37   **6** 9, 12

7 28, 30   **8** 46, 48

9 8, 10   **10** 16, 18

11 10, 12, 13   **12** 14, 16, 17

13 21, 24, 25   **14** 39, 40, 42

15 42, 43, 44   **16** 46, 48, 50

DAY 19 146~147쪽

6. 50까지의 수의 순서

1 (위에서부터) 5, 7, 11, 18, 21, 25

2 (위에서부터) 20, 24, 29, 33, 35, 37

3 (위에서부터) 15, 23, 27, 31, 35, 39

4 (위에서부터) 10, 17, 21, 26, 29, 33

5 (위에서부터) 8, 10, 17, 21, 24, 25, 26

6 (위에서부터) 29, 31, 37, 43, 48, 50

7 25, 26, 27, 28   **8** 36, 37, 38, 39

9 18, 19, 20, 21   **10** 10, 11, 12, 13

11 29, 30, 31, 32   **12** 47, 48, 49, 50

생활 속 연산

DAY 20 148~149쪽

7. 50까지의 수의 크기 비교

1 큽니다에 ○표   **2** 작습니다에 ○표

3 작습니다에 ○표   **4** 작습니다에 ○표

5 28에 △표   **6** 36에 △표

7 19에 △표   **8** 27에 △표

9 39에 △표   **10** 25에 △표

11 26에 △표   **12** 15에 △표

13 22에 △표   **14** 35에 △표

15 17에 △표   **16** 11에 △표

DAY 21 150~151쪽

7. 50까지의 수의 크기 비교

1 작습니다에 ○표   **2** 큽니다에 ○표

3 작습니다에 ○표   **4** 큽니다에 ○표

5 38에 ○표   **6** 26에 ○표

7 39에 ○표	**8** 45에 ○표	**15** 31에 △표	**16** 19에 △표
9 23에 ○표	**10** 37에 ○표	**17** 35에 △표	**18** 38에 △표
11 49에 ○표	**12** 35에 ○표	**19** 22에 △표	**20** 31에 △표
13 27에 ○표	**14** 43에 ○표		
15 35에 ○표	**16** 47에 ○표		

생활 속 연산 선욱

DAY 22 152~153쪽
7. 50까지의 수의 크기 비교

1 31에 ○표	**2** 45에 ○표
3 27에 ○표	**4** 42에 ○표
5 47에 ○표	**6** 43에 ○표
7 30에 ○표	**8** 35에 ○표
9 32에 색칠	**10** 36에 색칠
11 47에 색칠	**12** 41에 색칠
13 35에 색칠	**14** 28에 색칠
15 34에 색칠	**16** 24에 색칠
17 49에 색칠	**18** 44에 색칠

DAY 24 156~157쪽
마무리 연산

1 17 / 십칠, 열일곱		**2** 30 / 삼십, 서른	
3 24 / 이십사, 스물넷		**4** 42 / 사십이, 마흔둘	
5 50 / 오십, 쉰		**6** 29 / 이십구, 스물아홉	
7 35 / 삼십오, 서른다섯		**8** 13 / 십삼, 열셋	
9 15	**10** 12	**11** 17	**12** 13
13 16	**14** 11	**15** 6	**16** 2
17 12	**18** 6	**19** 7	**20** 8

DAY 23 154~155쪽
7. 50까지의 수의 크기 비교

1 16에 △표	**2** 31에 △표
3 45에 △표	**4** 27에 △표
5 25에 △표	**6** 24에 △표
7 31에 △표	**8** 48에 △표
9 37에 △표	**10** 17에 △표
11 18에 △표	**12** 17에 △표
13 16에 △표	**14** 29에 △표

DAY 25 158~159쪽
마무리 연산

1 14, 16	**2** 31, 34	**3** 20, 22
4 24, 26	**5** 46, 50	**6** 40, 43
7 9, 10	**8** 28, 30	

9 26에 ○표	**10** 34에 ○표
11 50에 ○표	**12** 29에 ○표
13 44에 ○표	**14** 21에 ○표
15 46에 ○표	**16** 28에 ○표
17 27에 ○표	**18** 45에 ○표
19 30에 ○표	**20** 49에 ○표